劉福春・李怡 主編

民國文學珍稀文獻集成

第二輯

新詩舊集影印叢編 第78冊

【白薇卷】

琳麗

上海：商務印書館 1925 年 11 月初版

白薇 著

花木蘭文化事業有限公司

國家圖書館出版品預行編目資料

琳麗／白薇　著－初版－新北市：花木蘭文化事業有限公司，

2017〔民106〕

216 面；19×26 公分

（民國文學珍稀文獻集成・第二輯・新詩舊集影印叢編　第78 冊）

ISBN 978-986-485-151-5（套書精裝）

831.8　　　　　　　　　　　　　　　　106013764

ISBN-978-986-485-151-5

9 789864 851515

民國文學珍稀文獻集成・第二輯・新詩舊集影印叢編（51-85 冊）
第 78 冊

琳麗

著　　者　白薇
主　　編　劉福春、李怡
企　　劃　首都師範大學中國詩歌研究中心
　　　　　北京師範大學民國歷史文化與文學研究中心
　　　　　（臺灣）政治大學民國歷史文化與文學研究中心
總 編 輯　杜潔祥
副總編輯　楊嘉樂
編　　輯　許郁翎、王筑　美術編輯　陳逸婷
出　　版　花木蘭文化事業有限公司
社　　長　高小娟
聯絡地址　235 新北市中和區中安街七二號十三樓
　　　　　電話：02-2923-1455／傳眞：02-2923-1452
網　　址　http://www.huamulan.tw 信箱 hml810518@gmail.com
印　　刷　普羅文化出版廣告事業
初　　版　2017 年 9 月
定　　價　第二輯 51-85 冊（精裝）新台幣 88,000 元

琳麗

白薇 著

白薇（1893～1987），原名黃彰，女，生於湖南資興。

商務印書館（上海）一九二五年初版。影印所據底本未見出版時間，據一九二六年十一月再版本初版時間為一九二五年十一月。原書三十二開。詩劇。

琳麗

編纂者 薇白

商務印書館發行

1925

琳　麗

人物

　　琳麗

　　璃麗

　　琴瀾

　　時神

　　死神

　　紫薔薇

　　演劇旅行團

　　猩猩(三個)

地點

　　東亞某都會

佈景

　　第一幕　冬景之花園

　　第二幕　古寺之前（夢境）

　　第三幕　澄空下之曠野（夢境）

時間

　　現代(三幕是一晚間的事)

附記

　　一九二四年聖誕節起稿

　　一九二五年元宵夕脫稿

第一幕　冬景之花園

景　冬青樹叢竹山茶花之林

濃陰深晤晤的。

正面竹林下橫着一條長櫈。

右隅短亭中粗桌櫈各一張。

傍亭的大樹上懸着電燈。

背景一帶幽林紆曲地。

視線遠處黑森森

幕開，光景深黑不辨。

但聞女子哀歌聲。

歌

月兒月兒怎不亮？

許是牧童無心吹起的魔笛聲，

深深傷着你心腸？

許是見着詩人手摘紫菫與紅薔，

踏過彩雲堆，沿着石階來，

你愉快的心房湧上珊瑚血，

黑雲幕後，羞羞默默在梳粧？

2

春光嫩暖，花兒嬌嬌開，

致命傷的罌蘲，心田畝畝栽。

情熱的絲帕滅不了燎原火，

輕風騰起的哀歌掠我飛過。

月兒啊，望你快出來！

我狂戀最後的心和淚，

等着踏你清輝步步吟來的愛人，

向他那絲絲的青髮和烏黑的曼陀上灑。

月兒喲，戀之憧憬的女神！

你心花迷了薄紅夢，

不管別人心兒碎了柔腸痛。

瓊宮奏出歡樂歌，

漫天的黑雲重復重。

重重黑雲驚淚落，

愛人呀！你今夜的影兒何渺漠！

血潮染紅我活活的火山胸，

琳　麗　　　　　　　　　　3

血淚流瞎我愛看美魔的眸瞳。

悲運呀，可嘆的悲運！

狂風捲去了我鮮美的生命。

誰看猛烈的戀火，燃爆我柔和的肝腸！

誰嘆我愛情的眞珠，紛紛零落！

　　（森森的暗黑中，淸麗的月光，忽然投下，照見

　　神色淸癯高瘦如竹的靑年女子琳麗。黑衣美

　　髮，嬌愁可掬的慢慢躑躅林中。暫時靜寂一

　　會後，比前稍低的調子平靜的又唱。）

月兒喲．我神祕的姐姐！

莫向我掀你銀箔的帳幃，

莫得意你瑤林的祕味。

我雖沒有嬋娥一雙嫩嫩的皓腕，

綠眼該看出我是愛神心上的紅玫瑰。

纖手快掩你銀箔的帳幃！

嬌步快藏你紅情的斌媚！

世人贊你的光明，

你涼人肌骨的光明，

也要藉我的情炎，溫熱。

（月光忽而隱去，琳麗將樹上的電燈開起。滿
園呈帶藍色的美光。）

　　　　琳麗

今晚的天氣到怪暖和，

好像小陽春似地，

我想你一定會來喲。

我不看到你哩，我是多麼難過啊！

我若是飽飽地看了你，

我心上又是如何的寂寞！

（撫着亭子嘆息。）

　　　　烏鴉聲

呱！呱！呱！

　　　　琳麗

你若是還真心愛我，我對你說：

等得你招手"來！來！"

我只能給你遙遙地看我的背影向你搖手

"我是留不住的孤雲喲，再會吧！"

（自胸中抽出相片親了又親。）

琳　麗　　　　　　　　　　　　5

假使我爲你死了，

你會流不盡的悲淚吧，

你何必故意苦我來！

　　烏鴉聲

　　呱！呱……

　　　琳麗

我好像醉倒桃李園中的詩瘋子，

又像喃喃草上的泥美人，

醉迷迷，醉迷迷，顛倒在你的心田裏。（停）

呀，不可思議！

我爲甚麼看了一閃的星光，

竟會跑出我虛無的母親的胎裏來呢。

我要過多少虛無的滄桑，

沒有感着人間是紅的。

萬物是綠的，

宇宙是黃的。

我自己是紫的？白的？還是青的？

第一是我自己沒有了唰，

儘尋總尋不出我的心來。

6   第一幕

怕莫是一切都是透明的渾沌的，

我自己也是又透明又渾沌的一個不成東西的東

西．

說不透徹啊，話真難說得狠！

記得我震動不能自主的手，

連飯都吃在鼻子裏，

裙子當作斗蓬披……

對於一切都感不着的我，

怎麼又要吃飯穿衣呢……

為甚麼緣故我竟跑進虛無的母親胎裏來了．

我不冷也不溫不動也不靜的虛無的母親！

可還記得——記得很明白．

從虛無的母親胎裏引我出來的就是你！

從荒涼的古井中救活我來的也是你！

所以，沒有一切的我心上又有了你哩．

　　（儘吻相片．旋將相片緊抱着微笑．）

呀，怪事！怪事！

我不是很決心很決心的嗎！

是我真正最愛了的人，

琳 麗　　　　　　　　　　　　　　**7**

我決不拖下他來做戀人，

怎麼一陣子我簡直……

我的魂魄都完完全全地消在他身上了？

好像我是他絕對獨有的物件一樣了。

可笑！我是那樣的無用麼？……

憑我怎樣反抗牠也終歸無用。

眞可笑！（徘徊沈思）

我以前的心情呢？

還記得出，

還能够唱得來：

　　　　　　唱

　最寂寞的人，是最不平凡的人啊。

　人嘞，你莫戀！

　落戀你會平凡。

　落戀你會平凡，

　戀一成功，

　是生命的臨終。

8 　　　　　　　　　　　　　　　　　　第一幕

落戀你會平凡，

你一生只求戀！

惟求戀能奏出眞而美的生之和絃，

你一生只求戀！

渾身流麗的光華……

　　　　烏鴉聲

呱！呱！呱呱！呱！呱！呱呱！……

呱呱呱！呱呱呱…………

（烏鴉三四隻大聲高叫嘈雜不過。）

　　　　琳麗

（抬頭慢慢地走，貪心望着樹上。）

噬！噬！噬噬！（拾起石頭向樹上投。）

你們莫在二十世紀音樂的佼光中，

弄你們漸銹蝕了的舌頭！

莫把這神祕的綠園，

給你們的破銅鑼似的喉嚨叫壞牠！

畢竟飛去了，也叫我開心些。

　　　　烏鴉聲

呱………(悽悽的拖長尾音)

琳麗

這到有點哀瑟瑟的音律！

我沈痛又沈痛的一瓢赤血，

卻又叫你揚起。

(鎗的一聲，把林燈關了，漆黑。)

唱

漫天飛翔的孤鶩！

何為迷離在紫色的絹幕？

惟紫色的絹幕，

是美靈之花都？

烏鴉聲

呱……呱……(格外的清脆)

琳麗

烏鴉呀！烏鴉呀！

可懂得你的意思了！

你一聲清曲，把我的自慢心喊跑了。

你們先前的高呱呱急呱呱，

無非是取笑我的歌兒不好，

我又何嘗有一分允許我的歌兒是歌兒呢?!

妙!妙在你知道我靈魂裏面這點深刻的懊惱!

　　　　烏鴉聲

　呱………(微微的)

　(靜寂一會,琳麗忽然揚起沈痛的歎息聲,微
　微的一絲月光,忽從樹頂漏下.)

　　　　璃麗

　(穿貂皮外套,戴着很美的灰色帽子,低頭思
　索,慢步踏過,消去.)

　(月光強照,光景曠然.琳麗坐在竹林下的凳
　上,同前一樣歎息.)

　　　　璃麗

姐姐!這麼冷的晚上,

你又是躲在這裏——(從樹中走出)

　　　　琳麗

你來了麼?(立起)

　　　　璃麗

來了好多時候,

在你的主人家那邊說了一頓話來的.

琳　麗　　　　　　　　　　　　　　11

她們都往靑年會慶祝聖誕去了，

你不去嗎？去看看也好。

琳麗

女子靑年會也叫我去，

教會裏也打電話叫我去。

這晌爲聖誕節眞忙殺人！

今晚想躲一躲。（一同坐下）

璃麗

今晚靑年會有很多西洋人的獨唱。

日本人的音樂和跳舞也有趣相，

我很想去看一看，

你和我一塊兒去不好嗎？

琳麗

世上沒有比音樂還美的東西，

也沒有比音樂還感人深刻的東西。

我恨從小沒有學得音樂，

你是專門音樂的

你想去，你一個人快去吧。

莫弄晏了時候！（懶懶的閉了眼睛）

12

璃麗

你不是愛死了聽音樂的嗎？

今晚又出鬼了……(好奇的眼光凝視她)

哦，莫儘垂着你的倦眼！(拍她)

你要睡麼？(反語)

月光要揪住你在這裏的哩．(起身走)

好美的月亮啊！(停住)

琳麗

今晚的月亮好像是爲你出的，

你一來月亮就出來了．(徘徊)

璃麗

哦，爲我出的？

月光娘娘知道，細膩的姐姐知道．

　　(戲捫她的下顎．)

月兒不會爲着我這個不熱望她的人擺魔力．

是不是？

自然美的魅力，

好像能够沈醉你的心魂似的．

琳麗

琳　麗

我現在可不是從前那樣了。

不含人性美的自然美，

我好像眛都不要眛牠。

除非微風細雨中落花的黃昏時節，

還能引起我去賞玩賞玩。

　　　璃麗

看海上的落日呢？

曉風裏坐船賞荷花呢？

　　　琳麗

攢不得我的心進．(爽朗的音調)

　　　璃麗

攢得你的心進的只有你的戀人。

他是你的最美的天地，

他是你的藝術的全身，

他是流盡你的眼淚你都不覺得痛心的。

你剛才不是在這裏悲啼啼的麼？

你有多少淚水？(逼視到她的眉上)

我看你會死在愛上嘰。

癡人！坐下來！(同坐)

14

聽我說眼淚是沒有價值的，

猶如病人的汗水。

你最好是打破夢想的幻花吧！

像我是終身一滴眼淚也沒得流，

心裏充滿着晴光，只有快樂的分兒。

　　　琳麗

我何能比得你呢。

　　　璃麗

莫說！

我又何能及得你咧。

你越弄越乖了！

不過我想，無論是誰，求來求去是爲求得一個幸

福。像你一個人冷靜靜地閉起門悲哭，

三天不說兩句話，

眞是叫人難解咯！

　　　琳麗

有時候我只想把窗戶都關起來，

半點光線也不給牠射進，

讓我一個人黑漆漆地默想就好。

琳　麗　　　　　　　　　　　　　15

璃麗

假如有個人騙你說：

"你的愛人看你來了"

或是說："你愛人在黃昏裏奏提琴哩"

就是牢獄似的鐵窗子，你怕都要毀了鑽出來看他

哩.（熱情地望她）

我可不懂得嗎？

說來說去是說着他，

想死想活是想着他。

你無非是想尋出一所幽靜嫩綠的綠園來，

給你倆永遠在那韶光底下過生活。

可是姐姐啊！

在這荒涼的沙漠上，

尤其是在目下的中國，

有誰是你這綠園的知音者？

更有誰是你這綠園主人的伴侶呢？

琳麗

平聲的青年男女們，

都是同一個時代造成的。

誰能武斷這時候的山川靈秀之氣，

只誕生如花的美女，

就不誕生比雪還清的男子呢。

　　　　璃麗

呀！還時候的中國……你，我，

做夢也不容易做到很理想的對象啊！

　　　（不快的樣子搖頭，頭漸垂下，琳麗慢步走入

　　　　樹中，璃麗以冷嚴的臉孔瞧她。）

　　　　琳麗

　　　（從消去的樹下出來。）

你還不去嗎，遲了喲。

　　　　璃麗

我不要去了。（冷調）

今晚就在你這裏睡。

　　　　琳麗

　　　（很淡淡的。）

隨你。

只是我的被褥已踏踹了兩個大洞。

你不要是一脚踢出我的牙血。

琳　麗　　　　　　　　　　　　**17**

璃麗

我同你抱成一頭睡．（立起嬌抱着她．）

琳麗

好，你不和你學校寄宿舍的舍監說一聲麼？

璃麗

綏下打個電話給她就是．

（開起樹上的電燈，驚望琳麗．）

姐姐！我怕看你臉上深深的憂鬱．

（不安相握她．）

你有甚麼不得了的失意事麼？

姐姐！你聽我說！

在這怪醜的人羣中，

若是太不注意，

我們自己的芳香和異彩，

會被殘酷的壓重機壓成粉末的哩．

琳麗

我的眼睛不是黑雲母石的，

怎麼會那樣辨不清楚．

（眼睛炯炯地出神．）

（二人一晌無言.）

璃麗

哈哈!(怪笑直直的坐下)

琳麗

（不愉快相.）

你笑甚麼？

璃麗

我猜出你這種祕密的衷曲來了.

哈哈!哈哈哈……

你往日的高調呢!

往日我常叫你拿些金絲銀線織出一個你理想的愛

人來,

如今你竟得到你理想的人兒了.

恭喜你!恭喜你啊!

（譏讀似的連點着頭.）

琳麗

（歪着目光對她.）

莫只管你的舌頭動得好!

璃麗

琳　麗　　　　　　　　　　　　　　　　　　19

　　　（斜靠着凳背驕傲的表情.）

眞算不到,

你爲什麼一下子就愛得他那麼深呢?

　　　　　琳麗

沒有理由說的.

可以說的——

就是他合了我幻想美的調子.（坐下）

　　　　　璃麗

那他是你絕對的愛人了,哈哈!（高笑）

　　　　　琳麗

那怕你笑破了肚璧………

　　　　　璃麗

當然的.（語調平靜）

那是當然的道理.

　　　（起來正正地坐着.）

那麼我要問你:

你看他愛你麼?

他是能像你愛他那樣的愛,愛你麼?

你看他是你眞要愛的人麼?

　　　　琳麗

我不管那些.

　　　　璃麗

哦,姐姐!你只任你盲目的感情!

假使盲目的感情叫你下地獄,你又怎麼樣?

　　　　琳麗

地獄?天堂?

呀,我腦筋裏有什麼!

就是地獄天堂,不也是人生的旅路逃不脫的麼?

　　　　璃麗

不要唱高調!

我覺得你也應該拿點精神,

把對象分晰分晰.

　　　　琳麗

你這是什麼話!

愛了的人,還能分晰嗎?

　　　　璃麗

怎麼不能分晰,腦筋呢?

　　　　琳麗

琳　麗　　　　　　　　　　　　　　　　　21

愛人面前的腦筋，是被麻醉藥麻了的，

只覺得他通身都是美的，

甚至連他身傍的空氣，

都是一種另外清爽的神味。

　　　（柔柔的兩度眼望地下．）

　　　　　璃麗

你不要在我面前耍神祕吧！

　　　　　琳麗

信不信隨你。

　　　　　璃麗

感情鬼！

你莫太放棄了你的眼睛，

莫忘記用你的眼睛看看你自己！

你聽！（躊躇似的，少默）

你再傷心也要聽我說呀，

我不知道多少替你擔着心呢．（歎）

　　　　　琳麗

說來！

　　　　　璃麗

22   第一幕

要耐煩聽嚼!

頭一層:

你的處女的百合花的時節,

已被無情的風雨摧殘了.

　　（二人同聲太息.）

這話我知道你是很痛心很痛心的,

我知道你是不願意誰提起的,

我也知道你爲着這個緣故,

你把你自己的價值減少了七八分了.

　　　　琳麗

嚼嚼,那裏的話!

我嫩青青的心情,

不是和處女桌上未開放的白玫瑰花一般姣豔的

麼?(不耐煩相)

　　　　璃麗

可不是麼?

別人那裏知道你的!

他們只知道就事論事罷了.

況且知識的妖魔,

已經烙印在你的面龐上．

你如今的美，

好像風雨中的病楊柳，

涼月下的愁芙蓉了．(略停)

再說到你的脾氣，

就是初秋的青柿子，

還沒有你那種澁味．

只怕詩人對你還會生些愛憎．

然而你脈脈的清愁，

誰也對你不會生出怎樣熱烈的戀愛．

說到你的戀人，

他是平和的春風裏未曾開放的香花蕾．

他是能在清淺的銀河中，

為牛郎織女的婚筵拿花圈的天之驕子．

你常說與奇葩初胎一般的男子交際，

空氣都要純潔些，

你連不替你的對象想一想嗎？

　　(陡然停住，長間．)

　　　琳麗

我想得水晶一樣的透明，

我決不想同他戀的。

　　　璃麗

只是你啼泣出來的血淚，

點點還是深刻的戀跡。

　　　琳麗

任誰都不明白我複雜的胸襟，

請你莫多說吧！

　　　璃麗

我當然有說話的自由，

且等我說完。

第二層：

他那副派頭，使人怪討厭的。

不知道是用心很深的假瘋子，

還是未來派的狂人？

　　　琳麗

呸！莫向我賣弄你的批評的天才！

一個人的性格，不是這麼容易批評得來的。

　　　（突然離了坐處，曲腰撫着樹幹，很不快的表

琳　麗　　　　　　　　　　　25

情.)

　　　　璃麗

（柔和地向她面前走來.）

我看了人家爲愛護自己的愛人嘔氣,

眞是無上的快樂!(輕輕拍她的肩)

　　　　琳麗

你知道?我正是愛了他那多樣多色的狂氣哩.

他有多角多形的魔才………

　　　　璃麗

我並不是那樣嫌惡怪人的人.

不過他那種使人捉摸不到的隱藏,

我老實說,我是不喜歡的.

　　　　琳麗

我愛的人,只要我自己喜歡就够了,

還有說吧,你?(向她平靜的徵笑)

　　　　璃麗

（微笑答她,慢聲慢語地.）

第三層:

我看他對於女性的接觸,

是最有多方面的野心的．

你看他的鼻子眼睛嘴唇，勾進不聳出的樣子，

就看得出他是一個有多麼重的利己心的人．

他只會得愛惜自己，

什麼愛人不愛人，

虧你真膽大的去愛他，

揭開你赤裸裸的心送給他………

你愛！你儘管稱你的意愛吧！

他並不愛你咧．

據你說，他是非常愛你．

哦！那麼也不過是世間的極普通的，

絕不是把你看作一個不得了的絕對的對象．

　　（偸偸地看她，冷默一會，琳麗迴步林中，眼睛

　　望地。）

不待說，男子的心上是沒有絕對的愛人的，

好像無論怎樣的一個女性，都可以愛一愛的：

譬如看見這個女子的眼睛美，

就愛了她的眼睛去愛她；

同時看到那個女子的嘴唇美，

琳 麗

又想去和她接吻；

聽了這個女子的聲帶美，

就跟着她的聲浪逐去；

遇見那個女子的肉色美，

便隨着她的裙脚去嗅。

越是俏皮的男子，

同時他心上的愛人會坐滿一大堆。

那些倒不去管他。

只要他是從心上愛起來的就是一瞬間也值得。

但是，姐姐！他却不曾真心地愛過你！

你爲他心痛發狂，

你問他的心痛過不？

你寫那麼多悽悽惻惻的信給他，

他囘你的信麼？

你想死想病地想他來看看你，

他願來麼？

你何必爲他眼淚麗麗地？

更何必爲他魂飛魄落地？

你一定要愛他才得生麼？

28　　　　　　　　　　　　　　　　　　　第一幕

假使天不生他呢？

假使你不認識他呢？

你的心魂眞甘心給不愛你的人亂踢亂踩嗎？(間)

　　　(往扶抱橙上愁絕的琳麗．)

姐姐！你快把他丟了吧！

如丟破草鞋一樣的丟了他．

你要拿出你平日的勇氣來呀！

不然…………(躊躇)

你索性一囘美夢做死也好．

熱烈地死在他的懷抱裏．

姐姐？(搖她)

你到底是如何的？

還是拿出勇氣來吧！

　　　　琳麗

　　(撐起正坐，氣咽咽地．)

勇……氣？呀！我正爲……着要發表我的勇氣。

　　　　璃麗

你發表牠看看！

爲你自己計，

琳　麗　　　　　　　　　　　　　　28

為中國男女兩性的爭鬥開大紀元計，

你不要死，

死是無力的弱者．

　　　琳麗

　　　（悽悽的顫動起來．）

　　　璃麗

啊呀！啊呀！你做什麼？

不是陡然發了病嗎？

　　　琳麗

　　　（軟軟的倒下．）

　　　璃麗

　　　（扶抱她．）

又是氣痛病發了嗎？

眞是不得了！（抱她在她的身上）

急成這樣的！（長嘆）

你何苦來！何苦來！

給你主人家看見你這個光景，

她們還以為你是碰着了這花園裏的花神．

　　　琳麗

　　　（悽愴的樣子，自妹懷中拉起，哽咽聲。）

呀，璃麗！

我畢竟是弱呢，

但是對於愛的弱嘞。

我心裏多少活跳跳的智識慾和藝術癖，

但只要一想起他來，

連我的心都沒有了。

　　　（緊握璃麗，狂泣。）

　　　　　璃麗

　　　（冷看她一會，現出感勤的樣子。）

你是不是急想看你愛人去？

你好像非去看不可似的。

你索性快去吧！

沒有錢麼？

我拿電車錢給你，

喂！五角錢.（拿錢放在她手裏）

　　　　　琳麗

　　　（看看手上的錢，收了.抬頭慘笑一下。）

哈哈！待我下個命介看，

琳　麗

（立起用手巾拭淚，強笑。）

我要我不悲，就不悲了吧。

璃麗

（指着她的眉毛笑她。）

姐姐！你眞愛他！

我到今天才看出你的癡情來了。

你的愛人，眞是那麼可愛麼？

琳麗

我剛對你說過，

一想着他，連我的心都沒有了，

還要問我做甚麼？

璃麗

你以前不是對於一切都感覺虛無的嗎？

對於一切都感覺虛無的你，

怎麼會這樣血與淚的執着起來呢？

琳麗

如果不是混混沌沌在世上過活的人，

無論是誰，生命之花，不會只開一度的。

被殘酷的運命摧折了的生命之花，

不能隨情熱的天使再生的嗎？

所以我在今年的冬天，

只覺得是鶯啼燕語的春天。

不論是一朵小花，或是一株小草，

或是森森的樹木，

好像都活跳跳地向我微笑。

我自己也好像變成了一個天眞爛漫的小姑娘，

還有甚麼過去的通書掛在我的腦背後呢？

在虛無的母親胎裏久睡過的我，

更得了個絕大絕大的敎訓。

甚麼敎訓呢？

人生只有"情"是靠得住的，

所以我這回特別地執着我的愛。

　　（高歌亂舞。）

　　　　璃麗

姐姐！莫發瘋！

要看你的愛人就快去看吧！

　　　　琳麗

　　（自若的歌舞，歪倒倒的樣子。）

琳　麗　　　　　　　　　　　　

璃麗

（拉住她.）

姐姐！

琳麗

你進去！

璃麗

姐姐！（愁視她）

愛瘋了不值得的。

琳麗

我愛他！（推開她）

璃麗

（默悄悄的退去。）

琳麗

（望她退去，抱頭沈思一會，迴走林間，深嘆，

獨語。）

假若他今晚還不來，

明晚會沒有月亮了。

明晚的月亮遲遲地還是會有的，

明晚愛月的人恐怕會不在了。

（攀着樹枝出神。）

喲喲！去，去，去！

今晚去呢，明晚去？

乘着沈寂的夜光去喲！

哦，慘淡的舊生活，我和你訣別了！

我決不留戀你，

我也不再恨你。

你於我彷彿是犯人身上的一把鐵鎖。

鐵鎖！我擲你到天外去！

（作解縛擲物狀。）

我將任我的情熱，

我將憑我的幻想，

向雨絲虹跡的天路一步一步地踏過去，

向曙光燦爛的朝雲一層一層地泳過去。

（身子飄飄的踏往踏來。）

（琴瀾卷髮漫垂耳鬢，衣帽紺青一色，手搖薄
薄的曼陀，瀟灑地自左林踱出。）

琴瀾

啊，琳麗！

琳　麗

　　　琳麗

　　（驚的一跳．）

　　　琴瀾

　　（走進中央笑向琳麗．）

我愛的琳麗！

　　　琳麗

　　（靜靜地立起似喜非喜似悲非悲．但現溫雅的

　　表情，默默地望他．後又故意裝出冷淡相．）

　　　琴瀾

　　（若有情若無情的．）

你發了我的氣吧，

總等我不來？

　　　琳麗

　　（嬌默．）

　　　琴瀾

今早我接到你的信，

雖是打了幾回主意要來看你，

總提不起我這比石頭還笨重的兩隻脚．

　　（間，沒有多少表情．）

日中時候又接到你兩封信，

午後又接到一封，

晚上一連兩封快信，

你到底是爲着什麼？

       琳麗

   （嬌默．）

       琴瀾

   （帶惱帶笑的望她．）

你惱我到了絕頂麼？

一句話也不願意和我說麼？

       琳麗

   （嬌滴滴的連用柔和的眼光看他．）

       琴瀾

   （抽出紙煙吸着，走近她又離開她．）

你不必裝出柔弄別人的樣子來。

你要惱我，只管儘你的意！請了！

   （向她行個亂暴禮．）

       琳麗

   （走近他，溫熱的表情．）

琳　麗   37

你怎麼這樣晚才來？

　　　　琴瀾

我還以爲來得太早了。

　　　　琳麗

等到鷄叫才是時候嗎？

　　　（愛嬌的怨色，默默地。）

　　　　琴瀾

就是明晚的鷄叫才來還是早哩。

　　　　琳麗

放棄"現在"的古怪人！（強調）

　　　　琴瀾

現在不是"現在"麼？

將許多零零碎碎的"現在"，

集成一個大"現在"，

豈不是更有意義？

　　　　琳麗

也承認你這一說。

但你無非是碰命地將"現在"去換"未來"！

　　　　琴瀾

（極自然的風度。）

浪漫史的極致，

橫豎拿不到這殘酷的現實世界來。

我們的美夢，

只能向朦朧的森林中去探尋，

只能向未來的天國去訪問的。

　　琳麗

那我們只好趕快各乘各的幻想的白鳥車，

飛到這個世界以外的世界去。

　　（興奮的表情。）

　　琴瀾

那不隨你自己？！

一切從心想做的做出來，

就是再好沒有的了。

　　琳麗

　　（近前微微的抱他，琴瀾無表情的樣子，放了

　　琳麗退開。）

　　琴瀾

你這是做甚麼？

琳麗

此刻我愛極了你，

恨不得在這熱愛的高潮中，

讓我們融成一塊去。

琴瀾

（頭搖幾下，悶悶地。）

不要是這樣！

琳麗

不該麼？你不是也知道說：

"一切從心想做的做出來，是再好沒有的"嗎？

琴瀾

你這片心，我非常地感謝你！

琳麗

多謝你的感謝！

你那裏知道我的心！

琴瀾

知道嗬。

只是我不愛說話。

我隨便甚麼只是一個沈默。

— 45 —

（冷默默的坐下吸煙．）

琳麗

甚麼沈默不沈默……

"死"不是第一個偉大的沈默麼？

你的沈默，卻是叫我發狂的導火線！

（熱淚奔流．）

琴瀾

（立起，攜她同坐，拿着她的手，輕吻她的髮，

柔脆的音調．）

我眞感謝你喲，琳麗！

感謝你這樣地愛我．

琳麗！（將他抱在身傍）

你聽我從心的告白好不好？

比你還愛我的人，

以前是沒有的，

我確信以後也是沒有的了．（停）

比你給我腦筋裏更深的印象的人，

以前是沒有的，

我確信以後也是沒有的了．（停）

琳　麗　　　　　　　　　　　　　41

我最初純是求你做朋友的。

因爲太愛你慕你，

漸漸地戀了你，

我真是非常地戀了你啊！

　　　琳麗

我總信不過你，

恐怕你自己也不能深信吧！

　　　琴瀾

你是不會信我的啊！

我自己信得過自己就够了。

　　　（默默玩她的衣帶。）

你，你的生命靈魂，

恐怕是我熱求中最理想的對象了！

是，我戀了你！

　　　（輕輕地扑在她的懷裏一會，忽睜起灼灼的眸
　　　子。）

但我愛我自己，

無我以上，是不能愛誰的。

　　　琳麗

無我以上，是不能愛誰的！

你慣愛拿你那個"我""我"來作遁辭，够了！

　　（很敏感地用了情熱的眼光瞧他兩下，滿臉不
　　安的神色跑開．輕撫樹枝一會，不安的神情忽
　　變爲超然的表情。）

　　　　琴瀾

　　（用了冷靜的眼光，潛心地觀察她．把煙含在
　　口裏，柔步來琳麗前。）

怎麽值得作出這個樣子？

　　　　琳麗

我還怪你不愛我嗎？

這眞是莫名其妙的一回事！

我並沒有要求過你怎麽怎麽．

呀，我只不知道我將來是如何的死法！

　　（滾出大顆的淚珠，咽住。）

　　　　琴瀾

　　（輕抱着她的肩臂。）

你怎樣地愛我，我很明白。

你愛我好像比愛你的生命還愛，

琳　麗　　　　　　　　　　　　43

比愛你的藝術還愛。

你像眞能爲我死。

你要知道，我是如何樣的感激你啊！

琳麗！琳麗！

望你憐憫我這個可憐的性格，

我是無論怎樣的一個女子，

總不能永遠地占住我的心的全部。

我不能叫那一個女子愛到我死，

也不能有那一個女子能叫我愛死她的。

我沒有叫你這樣愛的資格。

　　　（漸漸地離開她。）

　　　　　　琳麗

　　　（很難過的樣子，想說不說，默着，忽達觀的

　　　態度。）

哼！說甚麼永遠，

有甚麼永遠嗍！

只要有最熱情最粹美的瞬間，

當然會產出我們所憧憬的永遠來。

我們的悲劇，就是你對於我

沒有這最情熱最粹美的瞬間！（尖調）

我情熱的心鏡，照得你的心透。

你從沒有一囘痛痛快快的和我談過，

也從沒有一囘痛痛快快的和我頑過，

只看見你沈鬱鬱的，

我知道我是不能叫你愛的，很明白很明白的。

　　（銳利的語調，提起雙腳似風的跑。）

　　　琴瀾

　　（兩步趕上拿着她。）

明白的說給你聽：我很愛你，

我愛你愛到了九十九分，

只有一分不愛你。

　　（優和的笑。）

我愛了你優美的靈魂，

愛了你特殊的氣分，

我永遠愛你這點，

我並不是僅僅地以一個女性來愛了你。

　　　琳麗

對了！那你不過是愛我這樣的一個女子，

琳　麗　　　　　　　　　　　　　　　45

並不是戀了我．

　　（流露無限的傷感，佇立．）

　　　　琴瀾

　　（順便坐在樹陰下．）

　　　　琳麗

　　（表出全被熱情支配的神韻，默默不動．）

　　　　琴瀾

　　（靜看取她一會．立起．走到她的面前．）

我的心，我的魂，

總是依依戀戀地迷在你的心魂裏．

你說我不戀你，

這怎麼不是戀你呢？

我看是戀之又戀．

　　（甜蜜蜜地輕吻她一下．）

　　　　琳麗

　　（帶些隱約的微笑．）

那你怎麼總不來看我，

也不寫信給我呢？

你不想我好久不看見你，

是如何的難過，如何的寂寞嗽！

　　　琴瀾

你的難過，你的寂寞，

我很曉得。

我的難過，我的寂寞，

你是不曉得的。

　　（靜寂的表情．）

　　　琳麗

　　（靜看取他．）

我看我們還是抱着滿懷的傷感早點分別的好。

　　　琴瀾

等旅費籌措好了，我就會和你告別的哩！

　　　琳麗

　　（勉強歡笑．）

那留不住的光陰，

眞會一秒一秒地逼我們生離死別的麼？

　　　琴瀾

算不定也會有再會的日子。

　　　琳麗

琳　麗　　　　　　　　　　　47

再會知道你愛情的鮮花

又開過幾度了？

那得還有現在這種共同的情懷！（低頭傷感）

　　　琴瀾

誰能知道我們再見面的時候，

不比現在更要熱烈地擁抱？

我想那時候或者會要痛吻你一場，

流出我從來對人流不出的眼淚。

　　　（自信的樣子，微妙的風情．）

　　　琳麗

我可不能領受

你帶着別人脣上的玫瑰風味來和我接吻．

　　　（埋頭在自己的曼陀中向前奔走．）

　　　琴瀾

　　　（撐手擎起飄飄的曼陀追來，溫柔的音調．）

你不要跑！

　　　琳麗

　　　（迴身向他，靜靜地佇立，愁絕．）

　　　琴瀾

（向她前進，極微妙甜美的表情，默。）

琳麗

（微微的望他兩望，感情迷亂，猛投在他的懷
中，雙手抱他的頭凝視。隨向他狂吻。）

琴瀾

（抱她一下，陡然現出不適意的苦悶。嘴脣微
動，鬱鬱不知要說甚麼才好似的。豎起眉毛，
決然離了她。傷感地對她立着。）

喂！你任你的感情這麼奔放，又如何得了呢？！

琳麗

我就像暴風雨中的一株棃花，

瓣瓣都散在你的面前也甘心的。

琴瀾

（冷靜的樣子。）

不要爲自然的奴隸！

自然是很短促的瞬間。

我們如果要像一般戀人們

緊緊地擁抱起來，

恐怕我們即刻就會在我們站住的空間尋出一堆死

琳　麗　　　　　　　　　　　　　　49

灰． （略停）

我還記得你曾對我說過的：

"瞬間的歡樂後，

便會遺下虛無的死灰．"

你又說："得戀的虛無，

索然無餘味．

得戀是生命的臨終，……

所以我終不要和你做戀人……"

聽你說那些話的時候，

我不知道是如何地愛你．

我很想像一陣熱狂的春風，

將你鮮美幽香的瓣瓣，都捲入我的懷裏來．

但我看你近來，一輩子想得蠢！

寫那種信……

說那些話……

我看你一天一天地平凡下來了．（豪嘆）

　　　琳麗

那不隨你看．

　　　琴瀾

據你剛才的情形，

你不是僅僅地以一個男子來愛了我麼？

人說"女子是把愛看做生命的."

琳麗！假使你也只是把愛看做生命，

我對於你的愛，不知道要減少幾百倍。

人說"女子只能供男子的玩賞的."

琳麗！假使你也只能供男子玩賞的

一個沒有色彩的女人，

我不知道要憎惡你到幾萬分！

琳麗

那你愛錯了我.

我這回只是爲了愛生的

不但我本身是愛，

恐怕我死後，

我冷冰冰的那一塊青石墓碑，

也只是一團晶瑩的愛。

離開愛還有甚麼生命？

離開愛能創造血與淚的藝術麼？

人說"男子是以愛爲手段的."

琳　麗　　　　　　　　　　　　　　61

原來你也是使用你的聰明，

征服女子來供你一時的滿足麼.

你若是那麼不明白愛是人生最有色彩的活力，

我就不嫌惡你到萬分麼？

你也像一般男子

犧牲女子做了自己的玩具，

反而向女子來嘲笑麼？

　　　（活潑的狂態.）

哈哈！不是談哲學，

談多了，莫破壞了神祕.（熱淚暴落）

　　　　琴瀾

愛哭的弱蟲！

我不獨不感謝你，

不獨對於你抱絕大的失望，

而且我不知道如何地感覺死之恐怖！

　　　　琳麗

　　　（帶哭的慘笑.）

再會吧，莫給你的心血都冷乾淨了！（點頭）

　　　　琴瀾

喂！你定要我和那個朋友絕交麼？

　　　　琳麗

你自己的意思呢？

　　　　琴瀾

我不能犧牲他。

　　　　琳麗

明白你不愛我了。

　　　　琴瀾

我愛你的未來。

　　　　琳麗

我們的現在，

還像正落山的夕陽，

薔薇色的光輝，只有幾閃了。

未來是暗黑的血海與虛渺的蒼天。

　　　　琴瀾

你的言下是說：

你何不將現在的熱情煽動起來，

催起我們未來的美夢美花，

痛快地做一回開了牠，

琳　麗　　　　　　　　　　　　　　　　53

做一回吹散牠！

我那裏不懂得那是最眞最自然的，

可是我不喜歡是那樣，

我非常地討厭是那樣。

你這點都不了解我，

也不想了解我，

並且連不想想愛惜你自己——

我好像不能喜歡你了。

　　　　琳麗

像說這種話的你，

又有那點還能叫我喜歡？(慨嘆)

　　　　琴瀾

結局呢？

　　　　琳麗

絕交。

　　　　琴瀾

好！

　　　　琳麗

　　(極不安相從林中消去。)

　　琴瀾

　　（四望園中慢慢地迴走幾圈．悲嘆．隨手關了
　　林燈．月光照地．）

哈哈！到底女性是不可信的．

唉！女性！

淺薄的女性！

淺薄的女性中，

如何不能產出一個特別的女性來！

我痛感又痛感！

傷心又傷心！

　　（倒在楬上，低頭作惱相．）

我所謂的一個特別的女性，

是我看花了眼睛，

是我錯用了一些幻想造成的一個倩影。

是，淺薄的女性身上，

是不能建設何種愛的，

是不能探出何樣美來的．

是，我明白了！

　　（雙手抱在胸前，仰天長嘯．）

琳　麗　　　　　　　　　　　　　　　55

我至今並不是愛了一個甚麼女子，

只是愛了我幻想上構成的那個幻影。

戀……美……

女子懂得麼?!

女子只能知道結婚前的手段愛，

女子是不能發現永遠的美愛的，

女子只能做平凡男子的肉體上的配偶，

女子是些可憐的性蟲——蜉蝣，

女子是沒有永遠的生命的，

女子最高的魅力不過是藝術品，

女子最大的通病不能成藝術家，

女子最悲哀的是無自覺心，

女子最………

　　　　琳　麗

　　（突從林間跳出。）

呸!說得好!

　　　　琴　瀾

你都聽了麼，我說的?

　　　　琳　麗

嚇，你會說！

　　　　　琴瀾

不對麼？

我看是的，

你應該在這沈睡的大隊中間，

放出晨鐘暮鼓的聲響，

叫醒她們爬起來戰，戰，戰！

但你還是一同和她們睡起在打鼾！

你在我幻想幕中的美，

一點一點都消失乾淨了，

一切都是你自己弄來的。

　　　（失望的樣子，悄然遁出。）

　　　　　琳麗

　　　（掀起薄薄的曼陀，活潑潑地長揖。）

再會！再會！

　　　（亭亭佇立尋思，頹坐橙上，自憐自惱地獨

　　　白。）

甚麼都結局了麼？

去了，我的愛人！

琳　麗

等你踽踽默默地來看我時，

恐怕紫金色的黃昏裏只剩下我的骸骨了。

　　（抽出相片吻着。）

哦！如不能再吻你的嬌唇，

咀呪我的靈魂早入地獄！

　　（抱相片於胸際。）

　　　　璃麗

　　（捧茶點出，進園便開起樹上的電燈，置茶托於

　　　短亭的桌上。極活潑愉快的表情。）

姐姐！客呢？

　　　　琳麗

回去了。

　　　　璃麗

這冷的晚上，

你連熱茶都不叫他喝一杯就給他走嗎？

　　　　琳麗

他要走又有什麼法子呢？

　　　　璃麗

我特為他弄了點牛奶紅茶和點心來。

琳麗

我那裏知道你有這份美意.

璃麗

（失望相，將食品一一擺在桌上.）

你把櫈子拖來！

我和你兩個人吃吧！

（將食物狂吃起來.）

琳麗

（將櫈搬過來.）

坐下來吃吧！

你仍舊是一副亂暴的孩子氣象.

璃麗

（將牛奶幾口吞下.）

呀，好吃，這裏面擺了很濃的咖啡

（隨手再注一杯，與姐坐下.）

我看你也還沒有吃飯的樣子.

你家裏冷火冷竈的.

琳麗

你這些牛奶怎樣弄熱的呢？

璃麗

（貪食着沒有聽着的樣子。）

嘸！你說甚麽？

你這位先生，

沒有一塊木炭，

米箱裏沒有一粒米種，

你怎樣弄飯吃的呢？

我這些牛奶，還是在你主人家那邊熱來的。

（拼命地吃點心）

琴瀾

我又來了喲。

（從背後渡手錶與琳麗。）

（姐妹陡然一驚，抬頭望他。）

璃麗

啊，來得好！（柔婉的行禮）

琴瀾

（向璃麗略打招呼，向琳麗。）

你的手錶替你整好了，

我先忘記交給你。

琳麗

（默默地接錶，悽切中帶些歡喜。呆呆地立

着.）

璃麗

（溫熱的表情.）

請喝杯熱牛奶！

（提起磁瓶.）

牛奶好呢？紅茶好呢？

琴瀾

都好.（低頭把杯中物兩口喝下，立起便走.）

再……再會！

璃麗

何必這樣急呢？

（立起挽留他，流露無限的愛嬌.）

琴瀾

（忽然眼光落在璃麗的臉上，立住.沈鬱的表

情，變為歡愉的表情.退坐原處，似羞似喜地

注視璃麗.）

琳麗

琳　麗　　　　　　　　　　　　　　　61

　　　（平淡的樣子，靜觀璃麗與琴瀾的表情．）

　　　　璃麗

　　　（提起另一磁瓶又向他盃裏注入．）

這是紅茶．

砂糖在這裏．（切點心進他）

請吃點兒點心！

可是很不好吃．

　　　（嬌美的風情，眼光不斷的看他．）

　　　　琴瀾

　　　（低着頭帶羞．）

謝謝！

　　　　璃麗

怎麼不吃一點兒呢？

姐姐！他一定要你進才得吃的．

　　　　琳麗

　　　（端起點心盤進他．）

請吧！

　　　　琴瀾

　　　（拿了薄薄的鷄蛋糕吃了一口，心魂不在的樣子,手上的東西落地.)

璃麗

(裝為不知,嬌笑地在吃.)

姐姐!你也不吃了麼?

琳麗

我從來不喜歡吃點心,

你們吃吧!

璃麗

你不吃我就不會吃的嗎?

(賭氣地吃,向琴瀾.)

你也請點!

琴瀾

(痴痴地拿一片吃着,轉望琳麗,隨後仍凝視

璃麗.)

璃麗

(機敏的,立起,笑向琴瀾.)

請慢慢的再談一下子,少陪了!

(邊走邊回頭望他,退去.)

琴瀾

琳　麗　　　　　　　　　　　　　　　　63

　　　（沈悶相，漸埋頭膝中。）

　　　　琳麗

　　（嬌健的顏色。）

你怎麼了？

　　　　琴瀾

哎，琳麗！（伸開雙手向琳麗，情熱的。）

我到底不能自慢了。

　　　　琳麗

　　（沈默一會，很淡靜的。）

我們本來沒有半點甚麼……

我到死也不會怪你半分。

不過願你聽我幾句話：

你是從虛無裏救起我的恩人，

你是這宇宙間我唯一愛了的人，

你永遠是一朵鮮豔的血色薔薇，

開在我血潮澎湃的心上。

　　　（徐往琴瀾的身傍，以指插入他深黑的捲髮中，

　　　柔聲地。）

冷啊，琴瀾！你起來吧！

琴瀾

（抬頭望她，沈默，隨向她們坐過的橙上倒

下.）

琳麗

這外面下了冷露，

請到我房裏去烘烘火好不好？

琴瀾

（坐起）

不想.

琳麗

（嬌柔悲惻的.）

這時候我多看你一分鐘都好……

現在求你給我在你的胸上靠一下子I

（悲味的微笑向他.）

求你接個吻!（正要抱他）

琴瀾

（推開她,站起.）

已經遲了.

琳麗

琳　麗　　　　　　　　　　　　　65

　　　最後的一個．(伸手又想抱他)

　　　　琴瀾

　　　(遮住她,跑開．)

　　　　琳麗

好!你只不要在你閉起眼睛踏過的路上,

奏起提琴灑悲淚就是了!

　　　(聲帶悽咽．)

　　　　琴瀾

我很冷!

肚子也餓極了,

要吃東西去．

　　　(深沈地望望她,飛跑去．)

　　　　琳麗

　　　(痛狂的情調,向他輕微微的一笑,從反對的

　　　方向跑去．)

　　————幕————

第二幕　古寺之前

景　森林中藏着古寺

　　寺前正面一遍梅林，

　　紅白綠梅盛開着。

　　左方參天的古樹七八株，

　　古樹下聳立小小的石塔。

　　右方一叢矮竹，後襯假山。

　　竹叢後隱見石階，

　　石階紆曲不見終處。

　　高處突出走欄。

　　寺身爲前後深林隱蔽。

　　漆黑的兩扇寺門，

　　半開半掩的正對梅林。

　　門前有石頭疊成的花臺，倚臺可以眺望。

　　廊下桌椅數張。

　　幕開，舞臺呈深紅色的光線。

　　（清麗的歌聲，從竹林邊傳出。紅光消逝，月光

交替照下．寺門前有一黑影走動，黑影低頭儘
徘徊，舞臺變橙色的微光．璃麗身繞七色的薄
紗，飄飄的歌舞而出，慢舞急舞醉舞梅花前，
游龍飛鳳似的靈活．光線變化無窮．寺前徘徊
的琳麗，沿石階步步走下．光線一明一暗，琳
麗輕步梅花前．）

　　　　琳麗

是誰？（跼躇不敢進）

　　　　璃麗

（不知她來，仍在跳舞．）

　　　　琳麗

（大膽走進向她，光線忽明．）

哦，是你！

你怎麼在這裏舞呢？

　　　　璃麗

（停舞．橙色的光消去，又轉朦朧的光線．）

我每早每晚在這裏練習，

你也是來練習的麼？

　　　　琳麗

我髣髴看見你在燦爛的霞光裏面舞，

所以我疑惑你是霞神。（握她）

你披着這七色的紗在舞，（玩紗）

我又疑惑你是雨後的虹神。

你這窈窕的風韻，通神的技藝，

到底你是璃麗的魂呢，還是森林裏的精靈？

　　　　　璃麗

你在發神經病，還是眼睛看花了！

這不明明白白是我麼？

我的學校就在那裏。（指着）

　　　　　琳麗

明明中國的地方，

那有音樂學校？

　　　　　璃麗

你看那不是琵琶湖畔麼？（指着前面）

風景多柔媚啊！

　　　　　琳麗

做夢！（拍她）

你的學校在上野，

琳　麗　　　　　　　　　　　　69

這又不是不忍池畔．

　　　璃麗

莫瞎鬧！聽我說．

我想三月裏在音樂學校畢了業，

一直往意大利學歌劇女優去．

　　　琳麗

好！（鼓掌）

三五年後，

看你成世界舞臺的活蝴蝶．

　　　（親熱地抱她接吻．）

　　　璃麗

　　　（狂跳起來橫睇呪她．）

你常要這樣對我麼？

我不感謝你啦！　我詛呪你！

　　　琳麗

怎麼值得這樣？　（微笑）

　　　璃麗

你這種同性戀愛，

我是不會領情的．　（亂暴的對她）

琳麗

該死！璃麗！……（猛向前進）

不錯！……（停着思索）

不錯，我很愛你。　（灑淚）

因爲你是一個很熱烈的青春。

璃麗

（拖紗傲步琳麗前暴躁的．）

因爲我是一個青春，

你就要把我的青春吞去嗎？（蹬足）

琳麗

（向石塔前跑，撫塔．）

你眞誤解我到了極點！

誰要戀你？

我只是以酷愛青春的意思酷愛你．

（悄悄藏身塔背後．）

璃麗

也罷，但我看你嫩嫩的心情，

恐怕你的青春比我還嬌嫩百倍．

琳麗

琳　麗　　　　　　　　　　　71

别向我提那些!(狠狠的口調隨即走出)

　　　　璃麗

瞞我做甚麼!　（半傲半妬的搖頭向她）

你有了那麼給你愛酸鼻子的戀人,

你還不嬌乖乖的嗎?

　　　　琳麗

你想我是什麼光景?

我已經流落在夜光中了.

　　　（悲憤的走去走來,深嘆.）

　　　（舞臺呈月光的光度.）

　　　　璃麗

莫要向我又發牢騷!

　　　　琳麗

　　　（吟詩的口調.）

看起花兒豔豔開,

看到花兒紛紛落,

花兒清淚究誰多!?

　　　（清委欵欵的坐在假山上.）

　　　　璃麗

你愛人畢竟不愛你了嗎?(一心窺探她)

愛換一個就是.

　　(往假山後披了外套轉來.)

世界上的男子,

我不相信眞有值得我們終身敬愛的.

我們優美複雜的情調,

又有那一個男子

能够十分理解呢?

愛,戀,不外是偶然碰着看上了的人,

一時眞摯地熱愛他一場罷了.

愛完了又換一個就是.

姐姐!若是我也像你那麽耍戀愛,

我要戀三十個丢三十個.

　　　　琳麗

不錯!也要看是什麽人!是什麽愛.

若是琴瀾很愛着你,你也很愛了他,

你瘋痺了的舌頭,

恐怕不會吐得出這樣的話來吧.

　　　　璃麗

琳　麗　　　　　　　　　　　　　　73

我不像你那麼不自覺，

我是沒有人愛的．（斜倚山石出神）

　　　琳麗

莫憤慨！

只要有人給你愛，不還是一樣！

　　（眼睛瞪瞪地望她．）

　　　璃麗

　　（故意低頭不看她．）

我想有知識的女子，

是不會有人愛的．

男子取女子，

只是取了幾分嬌美和年輕．

最好是什麼也不懂得的小姑娘，

過了二十歲的有知識的女子，

已經失了叫人愛的魔力．

　　　琳麗

　　（沿着假山散步．）

像你的說法，

我們心上會成沙漠洲了．

　　　　　璃麗

對藝術的花園裏去攢就是．

你以爲不經一回戀愛，就不能認識藝術嗎？

不一定咧．

　　　　　琳麗

人性最深妙的美，

好像只存在兩性間．

　　　　　璃麗

夢想家！

在男子身上去找美，

正像到非洲的沙漠上去摸水蓮花．

要知道男子的性情，

他還沒有得着你的時候，

他就不怕做你的奴隸，

最會熱心熱意地恭維你．

啊！我的女神！我的生命！

得到了手哩，

他就不怕做破壞宇宙美的罪人了．

所以我總不相信男子，

琳　麗　　　　　　　　　　　　75

也不想愛着那一個男子．

等得看着中意的人，

一抱就抱死他，

不給他做戀愛神聖的叛逆者．

現在，我只把我最高的情調，

發揮在我的藝術上——

音樂，跳舞，歌劇女優．

姐姐！我是比你聰明些．

　　（雙手抱膝，很得意的笑容．）

　　　　　琳麗

　　（斜倚她右傍的石上，冷眼地．）

哼！你說甚麼？

成就一個藝術家，

是要三分天才，七分金錢的．

平輩的冤家堆裏，

只有你有最好的境遇，

莫擺格！

　　（揚起薄薄的曼陀向古寺飄飄地奔去，一張紅
　　紙自衣中落下．）

76　　　　　　　　　　　　　　　　　　第二幕

　　　璃麗

（拾起紙片，大叫。）

啊，船票！船票！

　　　琳麗

（急殺的樣子，飛來搶船票。）

　　　璃麗

（急把船票藏入外套袋裏，叉起手來打架，兩
個打成一堆。）

難怪！難怪！

我早知道你會走的。（放了她發笑。）

你那裏去？（雙手插在袋裏。）

　　　琳麗

（陰鬱的表情，奪了船票藏起。）

前面是虛渺的黑暗，

後面是虛渺的黑暗，

頭上是悽風烈雨和閃電，

腳下是蛇蝎與遍山的荊棘。

妹妹！我那裏去？（緊拉她的手）

流浪？討飯？做工？當娼？

琳　麗　　　　　　　　　　　　　　77

　　　　璃麗

　　（同情的顏色.）

可不是麼，

那一條路是好走的呢！

姐姐！學校你雖然是恨毒了，

我看你還是在日本吃官費的好。

　　　　琳麗

官費又不是養老費，

能够儘坐起去吃得的麼？

　　　　璃麗

別人想吃也吃不到呢。

　　　　琳麗

學校有甚麼是我要學的？

　　　　璃麗

有幾個是爲讀學校書去吃官費的呢！

　　　　琳麗

那牢獄我還沒有坐得够嗎？

　　　　璃麗

爲維持你的生活計……

　　　　　　　　　　　　　　　　　　　第二章

　　　　琳麗

那是什麼生活！

不成生活的生活……

消費青春破壞靈魂的生活！

吃官費叫我的生命破產了！

還說官費，

比開科取士還害死青年的官費！

　　　　（昂奮的亂跑.）

　　　　璃麗

雖然是那樣，

不是沒有法子的事麼？

金錢是有萬能的權威的。

沒有錢，

憑你想學什麼，不是學不成麼？

你想回國去，

我可以包你一定會餓死的。

　　　　琳麗

那又怎樣辦呢？

　　　　璃麗

琳　麗　　　　　　　　　　　　　　　79

聽我說一句！

你最好是和闊老結婚去吧！

　　　　琳麗

中國有那一個男子够得上做丈夫？

　　（手攀梅花一晌不語.）

　　　　璃麗

　　（無聊地低頭,在梅花下踱來踱去.）

　　　　琳麗

但是這時候中國的女子,

家庭不給她經濟的活路,

社會不給她發展的地位,

那怕你想浮出來的氣熖,

比日本大地震的火熖還盛,

結局若是不給肥胖的錢袋兒

做第七第八個姨太太,

好像是討不到一碗飯吃的。

　　　　璃麗

所以我叫你還是吃官費的好。

　　　　琳麗

哎喲！

聲聲吃官費的好，吃官費的好，

你這種聲音，好像送我下葬的鐘聲似的。

璃麗

你現在唯一的路，只有這一條。

琳麗

（搖頭長嘆。）

死了！

璃麗

沒有那麼利害。

琳麗

學那種不願意學的東西，

好像嫁了一個極不願意的丈夫，

被利害婆婆每晚逼了和他同房一樣的滋味。

並且我雖有官費，

官費只能够醫病。

我的生活是如何困難！

我的精神是如何痛苦！

我的未來是如何危險！

琳　麗　　　　　　　　　　　　　　　81

病是長年四季總病不清的，

除了一年悶氣的官費外，

是沒有一個人幫助我一文的。

那麼可恨的學校，

爲着醫病，爲着吃飯，

還是要吞聲忍氣的低頭在她的下面！

這種非人的生活，

好像在有萬鈞重的螺旋機器的中間，

緊緊地把我壓搾。

難道悶起氣看到我死嗎？

難道看着自己沈淪下去，

都不想想法子去援救嗎？

　　（狂人似的亂跑．）

　　　　琴　瀾

　　（愉快的笑來．）

噓！怎麼你們也在這裏？

昨晚失禮了！　（向她們優雅的行禮）

　　　　璃　麗

你眞來得好！　（嬌媚的）

我姐姐曉得發甚麼瘋？

請你勸轉她好好回來吧！

我先回去預備請你吃西餐。

（邊走邊流波不斷地望他．）

琴瀾

（對她很冷淡的樣子默望琳麗．）

琳麗

（見他驚了一下，愁波滴滴地，臉上浮出要發
又發不出的愛嬌．伸出雙臂想抱他．音調很
低．）

琴瀾……（未及抱着倒下．）

琴瀾

（從黑曼陀中跌出提琴和箱子，驚抱住她．）

琳麗！……琳麗！……琳麗！……

（把她抱在胸上．）

你暈了麼……琳麗？

你爲什麼是這樣的啊！

（旋把頭仆在她的胸上，又慢慢的抬起．）

不是我傷着了你的心願？

琳　麗　　　　　　　　　　　　　　　　　83

其實我怎麼也不願意傷着你，

我卻又常使你傷心！

琳麗！……琳麗！（深吻她）

　　琳麗

哎！（微動起來）。

　　琴瀾

你醒了麼?琳麗，你醒了麼?

　　（很歡喜的輕吻她.）

　　琳麗

　（自他懷中拉起，微微的笑，慢慢摸他的肩和
臉.）

這不是做夢麼，琴瀾?　（朦朧的）

　　琴瀾

怎麼是做夢呢.

　　琳麗

　（儘摸他身上.）

哼!摸起來又有骨格，

怎麼總像做夢似的.

你覺得不是在做夢麼?　（泣）

　　　琴瀾

滴清白白的，

你看我那些東西！（指着箱子）

　　　琳麗

　　（不關心地取帕拭淚．）

我沒有再見你的日子了！

恐怕是因為我太想着你，

是要這樣叫我做夢似的．（自己站起）

　　　琴瀾

你為什麼跑到這裏來？

若不是我順便從這裏過身，

今天我會見你不到．（站在她的傍邊）

　　　琳麗

我心裏真漲啊！（愁眉）

怕是峨眉山的石塊，

都塞在我的心坎上了！

　　　琴瀾

　　（替她擦胸．）

怎麼樣？（再擦）

琳　麗
〰〰〰

琳麗

好些.

琴瀾

那箱子裏是什麼?你猜猜看!

琳麗

總不是送我的東西.

琴瀾

（揭開箱蓋.）

你看!這是剛織在橫濱製的.

（將衣拿出示她.）

這橙色絹綢的舞衣,

你不是向來很喜歡的麼?

帶兒飄飄的……

（渡衣給她,貪看她的表情.）

琳麗

（接衣,很高興的抱在胸上.）

啊!美!那白的呢?

琴瀾

這是我的.

琳麗

是音樂家穿的麼？

琴瀾

是．

琳麗

你怎麼辦起這些東西來？

琴瀾

你猜！

琳麗

想去那裏開演奏會麼？

我只想就在這梅林下的月光裏，

把牠穿起來舞一回看。

（活潑潑的穿衣．）

琴瀾

（跳躍在他的面前．）

把黑衣脫下牠！（幫她解扣）

琳麗

你在這裏！

讓我往假山背後去換一換。

琳　麗　　　　　　　　　　87

　（飛跑假山後．）

　　　琴瀾

　（摘了幾朵梅花插在胸上．攀着梅枝儘聞，又

　　抬頭看看月亮．）

還沒有換好嗎？

　　　琳麗

好了。（前看後顧的走出）

這好像是量了我的身材製的一樣。

你究竟是甚麼意思，

忽然替我做這麼一件衣服來？

　　（微笑中帶感傷的表情．）

　　　琴瀾

　（默默地跪下，抱她的膝親吻．）

琳麗！（熱情的眸光熟視她）

我要求你……

我像曙光影裏將開的一朵紅薔薇，

香，色，和絲絲的花紋一切獻給你，

你也同樣的答認我吧！

　　　琳麗

（輕輕的撒開他的手，很感傷的沈默.）

　　　琴瀾

（進退維谷，滿面的愛嬌.）

我是如何愛你，我不能說出來.

我自己很知道，你是非常愛我的.

　　　琳麗

（長嘆一聲，向瀟灑的竹影裏跑.）

　　　琴瀾

（一步一步跟着她.）

琳麗！莫錯過了興會！

（柔脆脆的投在她的懷中.）

　　　琳麗

（抱着他的頭，眼光灼灼地若有深思.）

你平日不是常對我說麼？

你無論如何，

總不會把你的身子賣給你愛人的？

　　　琴瀾

我是不能在水底捉月影的，

我又爲甚麼對你說那些話呢？

琳　麗　　　　　89

我對於你不知道有多大的希望．

我總想你成個藝術品的藝術家給我愛．

但是……琳麗！

我眞太愛你了．（情熱的嬌笑）

太愛，所以我情願做你永遠的男人．

　　（緊抱她想吻．）

　　　　琳麗

　　（脫出他的擁抱．）

閉幕了！

　　　　琴瀾

一切從心發出來的感情，是絕對的眞和美．(強吻她)

　　　　琳麗

你這會子又肯屈伏在自然的面前嗎？

　　　　琴瀾

誰能否定自然？

否定自然又何苦要在這世界上生存？

　　　　琳麗

　　（若愛若恨的表情．）

我不愛你了，

謝謝你這份好意！

　　　（冷望他向石階奔馳.）

　　　　琴瀾

　　　（拾起衣琴便跑.）

琳麗！　我永遠忘不了你！

　　　　琳麗

　　　（立在石階的高處,大聲.）

不等今天

我早已把我們的愛敲破了哩。

　　　　琴瀾

　　　（驚極折回,抬頭望着她.）

嘿！　你這是甚麼話！

　　　　琳麗

　　　（隨又跳上幾步,歪起傲慢的頭,挺身向他.）

眞話。

　　　（一線銀光,射在他二人身上.）

　　　　琴瀾

　　　（沿着石階登上,忽然反身想退下,大顆的淚

　　珠,墜在曼陀上,突然兩階做一步跳上拉着琳

麗.)

你，你這是幾時想出來的？

　　　　琳麗

昨晚上.（冷語調）

　　　　琴瀾

　　（很傷感的.）

你這不是把我的心敲破了嗎？

你不是疑我愛了你的妹妹嗎？

不錯！

看她就像看了在春風裏散步的春之女神.

但她只是一個浮蕩的青春.

不能像你那樣給我心上留一個深刻的畫影.

昨晚我只是以愛青春的心愛過她.

也是因她那種青春的魅力

觸動了我久沈默的心魂.

所以我今天是這種現象，

明白了嗎，你？

　　　　琳麗

　　（靠在寺門前的石台上，風情瀟灑的，銀色的

　　　　　　　　　　　　　　　　　　　　　　第二幕

　　　光線跟着他們.)

爲你愛了我的妹妹？

我的妹妹最初的戀人就是你，

但我的問題絕不關那些事.

　　　　琴瀾

那你爲甚麼要做出這樁事來？

　　　　琳麗

我不能看玉石的高山

一天一天地奔落……

　　　(情熱的眼光無處安放的樣子,闊步廊下.)

　　　　琴瀾

那全是我的不好！

　　　(擲了衣琴,親熱的笑向她.)

只怪我的感情一冷一熱變化得太利害了.

但這也不全然怪我.

我一晌不懂你是故意試我這一片心.

只以爲你眞是那樣不行了.

一時傷了我的心,

我非常悲觀,

琳　麗　　　　　　　　　　　　　　　

我恨了你，你知道？

　　（心裏很愛她，臉上很含糊的睜起眼睛望她。）

昨晚我回去，

我把你歷來的信看了一遍又一遍，

我纔明白你近來的一切，

都是故意試我的。

　　琳麗

那些信連我寫的時候，

腸子都笑痛了。（帶笑的樣子）

試驗的結果，你很滿足了我的心。

　　琴瀾

昨晚我通晚睡不着，

流一回眼淚又流一回眼淚，

今天替你製了這些東西，

你知道了我的心麼？

　　（伸手想去抱她，忽又止住。）

　　琳麗

　　（微笑一下，輕軟的調子。）

我既然下了決心……

琴瀾

決心不能挽回的麼？（拉她同坐）

琳麗

（柔媚的情調。）

縱然你變了美女，

我變了詩人，

日公公替我們建了一所薔薇色的瓊樓玉宇，

月娘娘替我們佈置了嫣紅姹紫的神祕花園，

那時候你倒在我的懷裏說：

"我的愛人！我的心嚜！

我永遠的靈魂嚜！

請你在這幸福的花園裏，

暫時沈醉下快樂吧！"

我還是不能在你的花園裏留一刻的。

琴瀾

（用心吟玩她淡淡的愁韻，熱烈地抱她。）

接個吻！接個吻！（強迫她吻）

琳麗

不行！ 不行！ （拒絕）

琳麗

　　　　琴瀾

　　　（亂暴地）

那我不管你，

我要愛你，

我還是要把你痛抱死去．

　　　（猛烈地抱她求吻．）

　　　　琳麗

不行！　（遮住嘴唇，掙扎開了，直向石階跑下．琴

　　瀾在後急追她，兩人打圓圈子．）

　　　　琴瀾

　　　（忽然站住，若有深感，怪默．）

呀，琳麗！

我不纏繞你了，

也不和你接吻了，

我完全和你同感．

"無限的愛美與歡愉，

　要死在愛人接吻的朱唇上．"

　　　　琳麗

　　　（安心的向他．）

96

第二幕

我們還是像我們的初願，

做朋友吧．（握他）

　　　琴瀾

好！

這是我最初的心願，也是我最後的心願．

做朋友，在戀情以上的朋友．

　　（痛握她，極快活地在她卷髮垂着的額上接了

　　一個響吻）

　　　琳麗

（平靜的微笑．）

我昨晚和你分手後，

就搭火車跑出來了．

爲了想去莫斯科………

　　　琴瀾

嘿！莫斯科．

　　　琳麗

（柔和的）

我們只有兩三個月的交際，

這回恐怕是永遠的分別了．

琳 麗　　　　　　　　　　　　　　97

（喉嚨突然咽住．）

恨天不該把我們生成一個男人一個女人！

假使你是一個女子，

我無論如何總不要離開你的．

　　　琴瀾

（裝出慷慨的神情．）

不幸我們都是悽風慘雨中的可憐人！

我不能不離開你去南方，

你也不能不離開我去北方．

　　　（雙手握住她的雙手，歡跳起來．）

去，去！能去就好了！

　　　琳麗

這一去，至少要在那裏住七年．

只要不病死……

　　　琴瀾

祝你成一個劇曲家！

　　　琳麗

（灼灼地看他．）

　　　琴瀾

（不冷不熱的樣子，隱約有深味的愛情.）

好！無論你去那裏，

我的心，我的魂和影，

總是跟着你去的.

（忙向石階飛跑去，取了提琴衣裳來.）

聽我奏曲驪歌給你聽！

你合着我的曲兒舞吧！

琳麗

我穿了這件衣服，

你不穿那件衣麼？

琴瀾

我喜歡嘗新鮮味兒的，就穿牠一穿看。

（往塔後換了衣來.）

（琴瀾用意奏琴.）

（琳麗笑微微的舞蹈.）

（舞臺呈淡紫色的美光，紫薔薇通身仙女的裝
束，穿白地起紫色薔薇花的長衣，頭戴紫薔薇
花冠，頸上披着紫薔薇花串.若雲若霞的薄紗
自頭上披下，垂至地面，如同孔雀展開翠尾——

般．手執薔薇花輪一對，紅白薔薇各一，沿竹
林飄逸逸地走出，向她們畧微點頭，他二人驚
喜，停奏罷舞，但發微笑．）

　　　紫薔薇

我不是天上的仙女，

也不是地下的妖精。

我是紫薔薇——薔薇園中未來的處女。

　　　（放下薔薇花輪，雙方握手．）

　　　琴·琳

　　　（奇妙的表情，啞默．）

　　　紫薔薇

爲着許多文人恨了愛神太落現實，

美神就在薔薇園裏一株白薔薇樹下，

用她的想像和熱血，

抱着花蕾露宿了一晚。

隔了三年，

我就在那株薔薇樹下自自然然的動起來了。

披着這片紗，

能看出宇宙人生最美最奇妙的祕密。

100　　　　　　　　　　　　　　　第二幕

（取下身上的紗，遞給他們．）

琴・琳

（貌俱驚詫，含笑受紗．）

紫薔薇

請披上！

琴瀾披在左肩，

琳麗披在右肩．

（幫他們披好，自己立在他們的面前作指揮者

的樣子．）

兩個人的肩頭並攏來！（二人並肩）

把手掩起左眼睛！（二人遮眼）

右眼睛也暫時閉起！（整頓他們的姿勢）

一，二，三！打開右眼往那邊看！

（自己退在傍邊．）

看見些甚麼？

琴瀾

啊！塊塊破碎了的灰色地球，

從烏黑的海面上漸漸地沈下去……

琳麗

琳　麗　　　　　　　　　　　　101

啊！看見一些飆起的青煙，

好像混着霓裳羽衣在舞！

　　（手指着空中.）

　　　琴瀾

那不是一陣陣的蘭花香麼？

哦！美人的血肉！

　　　琳麗

不錯！不錯！

紅焰青煙裏,墜下許多琅琅的珠玉哩.

　　　琴瀾

哎呀呀！　（跳動）

阿房宮倒下的瓦礫,還沒有那麼多！

我快去拾些來！

　　　（將要提步跑時,紫薔薇把他拉攏.）

　　　琳麗

你看！　（拍他）

快看！　（猛拍他）

那一對人,啊！又一對！

他們的房屋倒了,還抱着在那裏舞哩！

她又黑又大的眼睛，桃花色的衣服，

嬌笑得好吧？

看，看！又出了一個裸體的美人！

她真美麗極了！

她的畫室倒了，

快，快，快！快去救起她！

　　（手舞足蹈地，急殺相。）

　　　　琴瀾

莫吵！　你看的那有我的好。

埃及女王的宮殿裏……

咄！咄！不能比。

瓊樓玉宇……(瘋子似的)

　　　　紫薔薇

不許說！好好的站攏！(拖攏他們)

肩頭離開，甚麼都看不見了。

再把左眼睛打開！

　　　　琳麗

那旋風捲起核桃似的是甚麼，幾人堆？

被兇惡的天狗在那裏吃。

琳　麗

　　　　琴瀾

不是男子的眼睛麼？

　　　　琳麗

那裏！你看那個人的閃動的眼睛！

那瞳孔上不是映了一個美男子的形像麼？

　　　　琴瀾

不錯！只有那一個是發出女子的香味來的。

　　　　琳麗

呀，我怕！那裏的海嘯聲，虎叫聲！

　　　　琴瀾

是上帝的妃子奏出的琵琶嘞。

　　　　琳麗

那一聲一聲穿了大紅衣哭來的是甚麼？

　　　　紫薔薇

死刑之前的上帝和他的家族。

　　　　（吹唱的玄樂起。）

　　　　琳麗

抱了一邊烏黑的地球

低起頭在中央的，我知道了，一定是上帝。

104   第二幕

其餘那些吹的唱的彈的是甚麼人呢？

　　　紫薔薇

那都是上帝的老婆和戀人。

　　　琴瀾

　　（右脚向前猛踢．）

啊！天國葬在烈火裏了！

　　　琳麗

那穿黑色的舞衣

抱着琵琶獨自彈來的是誰呢？

　　　琴瀾

那是永遠的處男——死神，

他是地上第一個舞蹈師。

他美吧？你喜歡他吧？

　　　琳麗

你比他還美．

　　（鐺的一聲．）

　　　琴瀾

好！死神的玉骨碰着海裏的暗礁碎了！

　　（手舞足蹈地說．）

琳麗　　　　　　　　　　　　　　105

　　　紫薔薇

你們看得這麼頑皮，算了吧！

　　（取了他們身上的紗，搭在梅花樹上。）

　　　琴瀾

我還要看那些瑤臺玉殿的祕密！

　　　紫薔薇

要看也是不許做聲的。

好！再玩這個。　（取花輪）

這對花輪兒，

薔薇園中的美男少女都睡在這上面，

都會唱得歌兒來的。

　　（將兩個碟大的花輪，分給他們。）

　　（琳麗琴瀾歡喜點頭受着。）

　　　紫薔薇

吃了這丸藥

可以聽得薔薇心上的呼息聲。

把牠搖起來，

會聽得少女們的合唱。

　　（每人口裏投一顆丸藥。）

（琳麗琴瀾吞下丸藥，默立一會，一齊舉起花
輪，拍拍的搖，少男少女的合唱響起，二人狂
舞。舞正酣，紫薔薇加入舞。光影燦爛。）

　　琴瀾

（罷舞，退出兩三步。）

呀！跳舞是萬物的核心，

我生了變化！

　　琳麗

（罷舞，合唱的歌聲停止。）

跳舞是生命的源泉，

我生了變化！　（仰天出神）

　　紫薔薇

快收東西！候運命替你們開路！

　　（將白薔薇給琳麗，紅薔薇給琴瀾。）

這是我送你們兩人的。

　　（自梅樹上取紗忙披上，琴瀾拾起提琴，忽然
　　傳出像古寺的鼓聲的聲響，舞臺漆黑。）

那就是你們的路了。

各向各人的路上走吧！

（從暗影中消去．）

琴瀾

呀！（浩歎一聲）

奔濤惡浪正向我這裏奔來！

對岸又是一些強盜！

那樣的路怎麼走啊！

琳麗

我的路只有竹竿寬的長橋

架在暴風雨的黑夜裏！

橋上蟠滿了毒蛇向我吐着赤舌，

橋旁許多病鬼，對我狠狠的張着眼睛！

（鼓聲凄的一聲，琳麗聲音哀婉．）

啊，琴瀾！

把你的紅薔薇丟給我！

琴瀾

喂！接到了嗎？

（遠來的金笛一聲，暗黑中見他們的影子，從
不同的方向消去．烏黑的舞臺，現出一線月
光．時神死神從竹林裏走出，邊走邊說．）

死神

你不信可以試她，

等她出來的時候，我們躲起來看她，

看她到底是不是越要愛的時候越會想死。

時神

人類拼命去努力的，

無非是為了求快樂求幸福。

何必故意去求些玄妙的美，

弄得不能卽也不能離，

不能生也不能死，

那是如何的苦痛呢。(坐假山上)

死神

她那種愛上加愛，花上出花的愛，

你是不能知道那種滋味的。

因為你是為一般人做工夫的。

時神

除一般人認為美的是的，

其牠別種異端我不要管牠。

死神

琳　麗　　　　　　　　　　　　　109

哈哈！你若是有蜜蜂的舌頭，

你會偷偷地乘着曙光，

往她的紗羅帳子的相思夢裏

偷嘗她那不可思議的甜蜜罷。

（坐他傍邊。）

時神

像她那種異端的戀愛，

是啟示絕滅的罪魁。

死神

呀！絕滅正是我求而不得的一個美夢！

時神

你慣愛說那種忍心的話，

上帝創造的文明，

都要給你毀滅，你的功績就偉大了不成？！

死神

越創造，創造些

比猛獸還猛烈千倍的猛獸。

越文明，文明到

比暴風雨的黑夜還黑暗的世界。

上帝的勞苦，究竟有甚麼意義？

時神

上帝是不願人類爲惡的，

那只怪得人類骯髒的頭腦。

死神

上帝既然是一個主宰，創造萬有，

怎麼不替人類創造些乾淨的頭腦呢？

時神

人類是有血有肉的，

不免要執着本能的快樂。

死神

真正曉得執着本能的快樂的人，

他本身就是一首美詩。

只怕是他不曉得執着本能，

反被本能執着他了。

被本能執着的人，

那就只有低級的嗜好和無力的頹廢，

糟蹋人類極短促的生命，

不能叫人類發現一點異彩，

琳　麗　　　　　　　　　　　　　　111

那是何等悲哀！

人類幾千年的歷史幕下，

只是一團暗淡的烏雲。

我總希望世界的末日快到。

時神

世界末日，是一堂腥臭喲！

那時候你清潔的懷裏，

會成一座骷髏的屍山，

死神

所以我眞說不出我的恐怖！

我只詛呪人類趕快絕滅。

絕滅本不是我的本意，

我希望絕滅後，能有美的人類，

再來建設美的宇宙。

時神

通通都死光了，你也要免職呢。

死神

拜菩薩！

我巴不得早免職—一日早好一日，

不免職作不得人，會一生求不着愛了．

死是最無意義的事咧！

那怕是絕代的美人，

一死了就會不知道愛的．

　　　　時神

等人類死滅了，你才跑起來做人，

　不仍然是找不着愛麼？

　　　　死神

有許多的豫言者說：

"當宇宙破滅最後的一聲時，

會有一個裸體的美女，

挺身在顫慄哀號的萬人面前，

放出小星點點．

那些小星一落地就變成幼女幼男來．

她們把地球的黃褐色的老皮剝掉，

便占領嫩青色的地球．

　　　（清麗的歌聲自寺內傳出．）

　　　　時神

她來了．　（一同立起靜聽）

死神

請止住她幾分鐘！　（振衣狂舞）

時神

你這樣的年紀，

爲甚麼還這樣高興舞起來呢？

死神

爲着要我的生機活動起來。

女子的歌聲愈唱得美，

我更舞得舒服。

時神

你眞想轉生了麽？

死神

生有甚麼可貴？

況且人生是值不得感謝的。

但爲着很美很美的愛，

偶然生一丁子，

到是一回很有趣味的事。

　　（琳麗披髪，身着寢衣，低聲唱出寺門。死神時
　　　神藏匿假山背後，琳麗沿石階慢步走到階段

114   第二幕

中，坐下淒然流淚，自胸上取出相片親吻。一
絲銀色的光線，射着她的全身。)

　　　琳麗

琴瀾！假使我還能見得你到，

恐怕我立刻就會快樂的死去。

　　(抱相片發痴。哀歌一聲，倒仆欄杆上。)

　　　時神

　　(兩步做一步地跑上石階扶她。)

　　　琳麗

　　(大駭一跳，猛推開他，睜起驚駭的眼睛，步步
退至寺門前。)

　　　時神

　　(溫和的向她微笑。)

我是誰，你不知道？

　　　琳麗

怕！可怕！　(駭殺的樣子向內跑

　　　時神

我是時間的神，

原是你叫我來的。

琳　麗　　　　　　　　　　　　　　**115**

你聽我勸你一句話：

你萬萬不要死！

你愛人三年後，一定會來找你的。

　　　　琳麗

　　　（帶喜帶愁的懷疑相。）

真嗎？

　　　　時神

你看！（翻開一本簿子指示她）

是他用他自己的心血，

在我這裏圈的字。

　　　　琳麗

　　　（抱簿子於胸上。）

呀，也罷！（將簿子還給時神）

縱然他三年後定會來找我，

也不過是替我靈魂上添些波瀾。

　　　　死神

　　　（威風凜凜地走上。）

怎麼樣，盧偽者？

　　　　琳麗

怎麼叫我虛僞者呢？

死神

你總喜歡抱着我的毒盃，

卻不肯一口飲盡我的毒盃。

綜合你的性情，

是個眩惑扮裝的虛僞者。

你若是不虛僞，

早就該喝下我這一盃美酒死去了。

　　　（龐然坐在廊下大椅上。）

琳麗

　　　（默想一下，與時神並坐死神右傍。）

聽我如何想出死的花樣，

總尋不出死有多大的滋味，

所以我還覺得你太扁小。

死神

但你卻很讚美我的偉大，

所以你愛到極點的時候，只想死。

愛死，是愛的無上的偉大。

愛死好像是你的愛的唯一的結局。

琳　麗

你每天醉心忘魄地

將你的身子飄浮在愛的高潮中，

叫我老身奔波，好像你的一匹走狗。

今天到底要問你一個結局。

琳麗

結局嗎？

結局我卻要把你放在臨終的牀上。

（邊說邊沿廊消去。）

死神

哈哈！那好極了！

能賜我生的才能叫我死，

我可以生起來了！

（媚起眼睛，看她去。）

時神

（正直而老實的樣子。）

莫調情！

這麼頑皮的人，

我們以後不管她就是了，去吧！

死神

第二幕

我不知道我對她有多大的憧憬!(憂鬱相)

　　　　時神

甚麼憧憬呢?

　　　　死神

第一,別人的戀愛都是爲人生而戀愛的。

她的戀愛是爲戀愛而戀愛的。

　　　　時神

她的苦惱,就是太不顧幸福與快樂了,

你偏賞識她!

　　　　死神

她就是怪愛爬上苦樹探取她的美花。

其次她一愛就要愛死的那種狂氣,

我很喜歡!

愛死是很容易的事情,

超過愛死的苦痛到不容易。

你看她百回要爲着愛死,

偏偏不依她的激情自殺,

那就可以看出她的靈魂的曙光了。

　　　　時神

琳　麗 119

你莫總把悲痛的糧食對她頁獻！

她雖串不攏流成碧池的淚珠給我們看，

她雖拿不出浮在愛濤上的情花給我們看，

但看她那麼迷失在死的道傍，

也觳我心酸了！

何不及她愛的星光輝輝地

及她愛的熱潮奔騰地

聽她死了不到有趣嗎？

死的全權都在你的手上。

　　　　　死神

說實在話，

聽她死了，我沒有在地上徬徨的興致了。

　　　　　時神

你這麼上了年紀，

還向年輕輕的女子弔膀子麼？

　　　　　死神

胡說！（蹬足立起）

我老實地愛着她……（徘徊廊下）

　　　　　時神

哈哈！　（一副怪神氣瞧着他）

　　　琳麗

　　（穿淡湖色的美衣，淡靜地走出.）

你們怎麼還沒有回去呢？（下石階）

　　　時神

　　（鬢眉揚揚的往她面前.）

在等着你.

　　　死神

　　（朗目秀齒，祕密的微笑.）

好，一塊兒去吧！

　　　琳麗

我不是同你們去的.

　　（流露若隱若現的嬌情，傲然馳下，銀絲的光

　　輝照着她.）

　　　死神

你對於這沒有甚麼可以感謝的世界，

還是同別人一般戀戀不捨的嗎？

　　　琳麗

除了在這沒有甚麼可以感謝的世界上，

琳　麗　　　　　　　　　121

歌哭地踱來踱去，

難道另外還有個夢幻的琉璃世界麼？(下階)

　　　　　　時神

那你平靜地生活在這世上就好了，

再不要儘把我們叫來叫去！

　　　　　　琳麗

咄！　我幾時叫過你們？

時間的陳舊，死的威權，

在我透明的腦袋裏，是沒有半點觀念的。

　　　　(眼高心曠地下階，忽然失足將倒的樣子。)

　　　　　　　死神

　　　　(飛步馳下，叉手在她的胸部，隨卽驚跳起來，

　　　　將手亂搖。)

哎喲！哎喲！

　　　　　　時神

做甚麼？　(忙馳下)

　　　　　　　死神

我的手好像插在燙水壺裏一般，

她的胸口比火山還要熱哩！

（伸手儘吹，將身上的寶釧取出，放在祕裳的
手上。）

琳麗

（莫名其妙地走近他看他的手。）

時神

讓我試試看！

死神

你來不得！　（叉手阻他）

恐怕她滾熱的血潮，要把你的手溶掉。

時神

連死神都受不住的酷熱，

那到是個甚麼怪？

我到要試一試。

（輕輕伸手到她的胸上，琳麗拒絕他，時神收
了手，突然摸他一下，高跳狂奔的樣子。）

哎唷唷！我的手像被礮火打脫了！

死神

快把這釧兒放在燙傷了的處所！（遞釧給他）

你不是有病麼？　（向琳麗）

琳　麗　　　　　　　　　　　　123

給我摸摸你的頭！（摸她的頭）

啊，比冰山還要冷得利害！

維持你在這冷酷的世界的，

只有你心上的一朵紅薔薇，

哦，琳麗！我很懂得你了。

　　　琳麗

　　（疑疑惑惑地看着他，一語不發地走。）

　　　　死神

　　（急忙取下假面具及黑衣，現出美青年，跳舞

　　琳麗前，猛抱她。）

琳麗！　你是曙光中的一棵紅薔薇，

鮮鮮的開在我寂寞的心田上了。

　　　琳麗

　　（拼命地反抗。）

放我！　放我！

　　　死神

我愛你！（柔情地緊抱她）

我深深地愛了你！（媚媚的望着她）

我們都是創造未來的，

未來的女神嚇！

（想在她的唇上接吻）

琳麗

（拚命地避開他，扯衣掩着臉．）

死神

（眼睛灼灼地望她．）

我這麼愛得你心痛，

你美麗的唇上，

給我吻一吻都不可以嗎？

琳麗

混帳！

不值得我流悲淚的人，

誰能吻我的唇！

死神

（勉強要吻她，劇烈地扭成一堆．）

琳麗

時神！　快來救我！

時神

（早睜起嫉妬的眼睛，滑稽的樣子笑看着．）

琳　麗

滾開！惡漢！　（狠狠地拖開死神）

　　　　死神

不要你管！　（從他手上取回寶釧）

　　　　琳麗

　（乘機逃脫．）

　　　　死神

　（攔住她．微溫的巧笑）

我是這世上最理解你最愛你的．

我願我和我這件寶貝通獻給你．

這寶釧兒是把我生來凝結在五官上的

八顆真珠鑲成的．

　　（急抱着她，將釧兒輕輕地戴在她的手上．敏

　　　捷地吻了她．掩住她的口，抬頭狂叫．）

噯唷！我的五臟六腑好像火燒一樣！

你心上噴出的火真大！

怕會將我活活地燒死．

　　（燒痛的樣子，擦胸又摸嘴唇．）

　　　　琳麗

　（亂掙亂扭的急殺相．）

死神

（痛楚地再吻她．）

嗄！痛！眞痛！

但是我願意痛．

（亂暴地狂吻．）

琳麗

（駭得無魂的樣子，用力掙開他，把他推下石
階．將釧兒對他擲下．釧兒書然兩段．狠狠地
竄入寺內．）

死神

（狂喜到絕頂，癡癡地亂擺，癡迷迷地狂笑．）

哈哈！　哈哈哈！……

時神

（挺起肚子，向死神搖頭取笑，指着地下的寶
釧．）

你生命的寶貝破壞了喲．

死神

（狂舞繼以狂笑．）

哈哈哈！哈哈哈哈哈！……

琳　麗

（歪歪斜斜地倒地死去．）

　　時神

（蹲地探他，儘搖他．）

喂！喂！怎麼了？

（翻他兩翻，驚極．）

哦，了不得！　（看身上的鐘）

一九二四年十二月二十六日，

午前二時零三分鐘，死神崩駕．

（舞臺烏黑，一絲微光射在寺門，琳麗黑衣，身
上圍着厚厚的絨氈，手拿革包，坐在寺門檻上
瞌睡着，忽然驚起號呼，絨氈革包墜下．）

呀！怕！可怕！

（張手，睜起驚懼的眼睛，亂跑兩步，靜立．扯
出手巾拭汗．很有神氣的笑容．）

我出來看野景，如何一下子就睡去了！

真是怪可怕的夢啊！

我睡得不好，常要做這樣可怕的夢的．

這寺裏到底是住的甚麼人？

我房子的隔壁到底是養了些甚麼怪禽獸？

總是怪叫怪響的，

駭得我不敢在房子裏睡。

眞是受罪啊！

　　（拾起革包，帶愁的平和相，眺望。）

哦！東方浮白了，不是快要天亮了麽？

不是，不是，樹上玲瓏的花朵是雪花哩！

院子裏的雪這麽厚了，

我明早七點半鐘就要到火車站搭車的。

脚上穿的一雙珠花翠玉的破皮鞋，

怎麽能走那一尺厚的雪路呢！

　　（低頭看脚。）

我是運命的戰士：

孤另另地漂出，

赤條條的一身，

橫豎不怕是明天死今天生，

管牠那些做甚！

占住我的房間的妹妹喲！

你知道我今夜在那裏？

琴瀾！情熱的美夢錯過了，

琳　麗

我生死漂流都爲着你啊！

漂出的第一晚，夢夢糊糊地將過去了，

夢見你送給我的舞衣．

這枯景靜色的古寺門前，

夢裏會看出是江南的春季的天氣．

只有做夢是我精神上的樂園啊！

再尋夢去吧．(抱起絨氈)

門外冷得很，

明早天亮就要起來，

那怕我的房子是個虎穴，

也是要進去睡一睡的．

　　（走進寺內，掩了寺門．）

　　——幕——

第三幕　澄空下之曠野與天幕

景　景分二層：

前景是天幕，

天幕大不能見全身，

但見下部。

後面幕壁遮住澄空。

黑暗的幕中橫設皮牀一。

牀側置粗櫈和演說臺各一。

演劇團的行李，

亂嘈嘈地堆在左右隅。

中空廣有跳舞練習塲。

左右數口通出入。

後景在天幕外，

比前景高二三尺。

一遍蔚藍色的澄空，

清輝宜人的月光照着。

依稀的樹景從上依依垂下。

枝葉疏疏的桂花樹橫亘中央。

琳　麗

　　　　遍地青黄草，

　　　　落葉蕭蕭如蝶翔.

　　　　清寂寂的秋風響.

　　　　幕開

　　　　但見前景的天幕內呈暮色，黑昏昏.

　　　　音樂演奏的聲浪遙遙傳來.

　　　　天幕中的電燈亮.

　　　　　　琴瀾

　　　　（穿的音樂家的衣服，嬉嬉自左出，自壁上取

　　　　　提琴試奏.）

　　再次就是我們出場的了，

　　你試唱一回吧！

　　我們把音節調好.

　　　　　　璃麗

　　　　（倒臥行李堆中，用薄氈蓋着，默.）

　　　　　　琴瀾

　　你快站起來唱呀！

　　這場是你的獨唱哩，

　　我伴奏的還不要緊.

璃麗

我今晚怎麼也沒有音樂的興致．

琴瀾

只是別人不喝你的采，莫怪我就是．

璃麗

我這沙漠樣的人生，

逭希望別人喝甚麼采！

琴瀾

（丟了提琴，往行李堆中拖她．）

哎呀！衣服也沒有換，

你怎麼來得及呢！

快，快點唱吧！（溫情地抱她的肩）

今晚你是初次出演哩．

並且有許多音樂家來聽的，

你快唱吧！（拍拍她，拿起提琴又奏）

璃麗

（淡素的衣裳，美髮．）

我往公園裏頑去．（悄悄地從右手去）

琴瀾

琳 麗　　　　　　　　　　　　　133

　　（急殺的樣子，趨前扭住她.）

你的信用要緊.

　　　　琍麗

不關你事，隨我!（反抗他，又要走）

　　　　琴瀾

你這晌怎麼總不和我共鳴了?

　　　　琍麗

僅僅拿一點外排場，

我們一對子站在音樂壇上，

那就是共鳴了嗎?

　　　　琴瀾

藝術的共鳴………

　　　　琍麗

　　（興奮地跳起來，高聲.）

我想到東方的天亮，

你就想着西方的天黑.

我要在你懷裏唱個歌兒，

你就想是聽着幽靈的哭聲.

這麼半點愛都沒有了，

一切的生命都沉在海底下去了，

藝術的共鳴，

還從那裏說起？！

　　　琴瀾

　　（悶氣相，悄悄退後．）

散文的啦！

　　　璃麗

豈止是散文的，

你簡直是打算的……

只是拖下別人來方便你．（猛歪頭）

　　（遠方的音樂，越奏得雅麗．）

　　　琴瀾

聽！這回完了就是你的了．（徘徊）

　　　璃麗

　　（靜愁愁地抱膝仰天微笑．）

呀！她們現在奏的

就是我兩年前演的Faust裏面的曲兒了．

那是我的生命的大紀念，

也是我一生夠懷戀的感傷曲了！

琳　麗

記得麼？（向琴瀾笑出悲淚）

我在新加坡那回演過Faust後，

你熱烈得狂人似的求我愛．

做了許多戀詩送我，

把南洋種種的美鮮花，

差不多都選擇盡了，選來送我，

每天來看我三四回，

還要早一封晚一封信，

稱讚我天女似的．

　　（無心地坐在牀上）

最初我表面上還是拒絕你的時候，

你哭得死往活來，

跪在我面前求我：

"我的生命喲！

我的女神喲！

你愛我吧！

求你愛我！

你是我的心臟，

你是我的勇氣，

我沒有你是不能生存的………"

　　　琴瀾

　（不好意思的樣子。）

好了！好了！

　　　璃麗

　（低起頭繼續地說。）

"你是我世界上唯一的愛人了，女神！

求你愛我這個可憐的人吧！

我痛愛你，

我尊敬你，

我什麼都能為你犧牲……"

你忘記了你向我的這些要求麼？

　（橫眼冷看他。）

我悔當時不答應你就好了。

不答應你就沒有今日的悲哀。

　　　琴瀾

不答應我，你就白白地戀我一生，

不，你遲早會找起我來戀的。

　　　璃麗

琳　麗　　　　　　　　　　　　137

你頭上沒有生出那麼多的花樣，

要愛我的人，多得很哩．

　　琴瀾

你又不愛別人單單愛了我？

並且你一生只是愛了我一個人．

　　璃麗

你說這話越發要提起我的火來．

　　（憤然站起，睜起大黑的眼睛．）

原來我是送給你糟踏的麼？

我尊嚴的女性，

被你糟踏到什麼樣式了？！

我和我的靈魂，都被你殺了哩．

　　（狂泣，忽然鎮定，取了 mandalin 亂彈．）

　　琴瀾

　　（平和的樣子，慢慢地來她面前．）

你到底出不出席？

　　璃麗

你這麼不通情！

當你悲哀要命的時候，

你還能提起筆來作歌曲麼?(暴彈)

　　　琴瀾

我不懂你到底爲了什麽原因

值得這樣興奮?

　　　璃麗

賣笑婦可愛,

船夫的女人可愛,

扮妖精的妖女也可愛,

慧星座的花王女優你更愛……

　　　琴瀾

呀,我眞歎息你不了解我!

　　(無意昧的樣子,退走.)

　　　璃麗

總而言之,我不應該生腦筋!

若是我沒有腦筋,

無論給那個男子不把我當人待,

我都憑他.

　　(極端興奮,丟了mandalin亂舞.)

　　　琴瀾

琳 麗　　　　　　　　　　　　139

（急得不要命的抱她.）

你也要愛惜下你的生命！

琍麗

生命？

我還有什麼生命！

女子是以愛爲生命的，

離愛什麼生命也沒有了。

男子呢，把愛看作賭博。

當他與高采烈

想贏得你的時候，

啊，我的女神！

啊，我的生命！

看來似乎很眞情的。

一旦得到了手咧，

慾望滿足了啊，

便把女子當猫狗了。

琴瀾

若是一生只爲一個愛去燃燒，

豈不是會燒死去？

人生要做的事業多得很，

我們不能不向藝術去發展我們的精神．

譬如我把我的全心沈沒在音樂和歌劇裏，

那就是我把人生的趣味更豐富起來了，

並不是把愛忘了，

不過不能不冷靜一點兒．

璃麗

你何不痛痛快快地直說？

若是一生只為一個愛去儘燃燒，

豈不是會平凡下去？

愛一個愛厭了又愛新鮮的去，

和新鮮的愛人第一回的接吻，

意味都要特別的不同些．

並且要今天愛紅蓮，

明天愛百合，

才得會有人生，才得會有藝術．

（振衣狂舞，鬢髮垂下．）

琴瀾

（急捉住她，冷靜的．）

琳　麗

你既然知道是這樣，

又還發什麼狂？

　　　　琍麗

女子生來是給男子

登藝術天堂的樓梯的？

你利用我把你做了樓梯，

還要犧牲我來做柴燒不成！

我在春風裏面嬌生慣養了的花兒，

那能受得住你比霜雪還冷的殘酷？！

　　　　琴瀾

那你把我當做個大惡魔看就是了，

只是也不盡是我的罪惡。

一面你也要認些罪，

一面只怪上帝不應該生男女。

縱生男女，

也不應該弄些靈肉的分別。

　　　　琍麗

（手指着他，痛快地。）

虧你配當藝術家！

142   第三幕

青春，美，惡魔，藝術……

離開肉，靈是什麼？

　　　　琴瀾

　　（眼光灼灼地跳在她的面前。）

青春！

樂園的女王！

你饒赦我！

我是特殊的惡魔！

我是你的罪人！

但我不是有心造罪惡的。

怪只怪我可憐的運命！

我可憐的運命，

叫我無論對於那個女子，

總是造罪惡的。

　　（悲泣，極苦痛的表情。）

你的模樣又那麼可愛，

確確實實地給我百分的沈醉過，

但那又確確實實地是瞬間的戀情。

其實我永遠的愛情，

琳　麗　

九十九分鐘愛在你的姐姐。

我一生的靈魂的伴侶，

也只有你的姐姐。

　　璃麗

　（意外的驚愕，放意悲傷。）

呀，人類要絕滅了！

　　（仆倒地下，舞臺烏黑。間。）

　　琳麗

　（薄衣破裙，風吹裙帶飄飄地。蓬蓬漆髮散亂
　　肩上，憔悴的神情。瞎子一樣，慢步摸出。一絲
　　微光照着她，走至中央，砰然倒在地下。暫時
　　一動，一會，悽惘的音調。）

噯，噯唷！冷啊！

　　（輕輕地爬起又坐不起，後仍撐住坐着。）

唉！肚子餓得很！

　　（伏地睡覺。）

　　紫薔薇

　（倉卒走入，舞臺呈淡紫色光，扶起琳麗，和藹
　　的。）

怎麼是這樣子？

琳麗

（慢慢立起，戰戰慄慄的啞然流淚。）

紫薔薇

（携她坐皮床上.）

你怕冷麼？

琳麗

冷得很.

這是什麼地方？ （啞然四望）

紫薔薇

是你的家.（將床上的被氈替她圍上）

琳麗

我死無墓，生無家，

怎麼我會有起家來？

紫薔薇

無家的人，家正多呢.

你漂泊冷落的道路上

不論是山洞是廟宇，

那處不是你的家哩.

琳　麗　　　　　　　　　　　　　　　145

　　　　琳麗

這樣說來，

連你的心上，也是我的家了。

　　　　紫薔薇

那不隨你。

　　　　琳麗

（猛然戰慄。）

　　　　紫薔薇

你到底爲了什麼，弄成這個樣子？

　　　　琳麗

我已被藝術座攆了出來……（咽住）

　　　　紫薔薇

你很餓了吧，

把這菓子吃下去！

　　　（投赤杏似的菓子於她口中。）

　　　　琳麗

（吃了菓子，深嘆一聲，放出蘇甦的顏色。）

我記得……我在東亞……

窮得家家不許我住。

146　　　　　　　　　　　　　　　　　　　第三幕

後來飯也沒有吃，

身體又病得利害．

怕是乘在飛鳥的翼上，

怕是潛伏在駱駝的肝上，

遠遠地流到莫斯科了．

啊，莫斯科！……

我熱望的莫斯科我畢竟到了．

我在藝術座幹了點背景部的事情，

在我那悲慘的生活中，

作了些不稱意的劇本，

　　　（漸有活氣．）

想戰開一條希望的路．

只要不病死，

我一邊當工人

終要戰開一條希望的路．

曉得是什麼人，

偏要把我的職務弄掉！

湊巧又發了病，

別人把我趕出房子來，

琳　麗　　　　　　　　　　　147

叫我天天夜夜在風雨中流落！

那眞是我的生命之敵了，

曉得是什麼人？

　　　　紫薔薇

是運命喲．

　　　　琳麗

呀，運命！

牠的臉是黑的呢還是紅的？

牠的心是刀口鑄成的麼？

牠的腦是鴉片煙質淘成的麼？

　　（深思相，握了雙拳，流淚．

　　　　紫薔薇

怎麼是這般恐怖？

　　　　琳麗

　　（白起眼睛．）

呀，我記出來了！

我失掉了靈魂！

快！快！替我快找回來！

　　（狂亂地推紫薔薇．）

148

失掉好幾天了，

我鎖起沒有開放的美花蕾，

都還藏在那裏面。

（發狂的樣子，倒在床上。）

　　　紫薔薇

　　（邊招呼她睡，邊取出一顆丸藥。）

喂！吃了這顆丸藥，你可以安心睡一下子。

　　（交丸藥給她吃。）

我替你找回靈魂來，

並替你拿衣服去。

　　（讓琳麗獨睡天幕中，退出。）

　　（紫光消，呈稀薄的月光模樣。）

　　　白衣青年女優

　　（自左方出，在行李堆中翻尋。）

我的箱子呢？

　　（翻了一晌提箱到台中。）

　　　綠衣青年女優

誰在這裏？

　　　白衣

琳　麗　　　　　　　　　149

是我．

　　　　綠衣

你在找什麼？

　　　　白衣

找我的襯衣．你呢？

　　　　綠衣

我來找跳舞鞋的．

　　（往行李堆中去．）

　　　　白衣

　　（找出了衣裳，提着箱子自床邊過．）

誰睡在床上？

　　　　綠衣

此刻個個都出演去了，

還有誰睡在這裏呢．

　　　　白衣

你來看！

　　　　綠衣

　　（拿着鞋子，執手電燈來床前照看．）

這不是我們裏面的人，

不知道是那裏的花子，還是強盜？

可怕！ （作恐懼相，後退。）

白衣

她好像是睡着了。

等我綁起她來看。 （縛她）

綠衣

（近着照她，儘看。）

啊，這是我在學校裏面的一個同學。

她在學校裏，總不愛上學，常要落第的，

她不知道怎麼流落到這裏來了？

白衣

等我叫醒她來， （推她）

起來喲！ 你起來喲！

怪哩，總不動！

綠衣

自已不發奮，

做了天下的流氓，可恥！

焉知她不是來偷東西，故意裝睡的？

怕她傷害我們！ （走）

琳　麗　　　　　　　　　　　　　　　151

我們快叫幾個男子來.

　　　（息了手電燈，二人黑暗中奔跑聲.）

　　　（舞臺烏黑，即時呈紫光.）

　　　　　　紫薔薇

　　　（拿了琳麗的橙色薔薇花舞衣，和花輪及另外

　　　　薔薇一束走上.）

起來換衣！

　　　　　　琳麗

　　　（起來，泥醉似的.）

靈魂呢？

　　　　　　紫薔薇

找去了.　（將舞衣替她換上，將花輪花束給她）

　　　　　　琳麗

　　　（無感覺似的接花輪花束.）

有沒有希望？

　　　　　　紫薔薇

再等一刻就會找來吧.

　　　　　　琳麗

　　　（夢中朦朧相，走不穩的樣子.）

我去找．

紫薔薇

你要靜在這裏等候，（拉住她）

再過一刻，你搖這花輪，

看有沒有消息．

你快睡下吧！（推她睡）

琳麗

（痴痴的睡下，衣裙垂牀緣下，成孔雀尾形．）

紫薔薇

（替她調好衣裙，放花輪花束於她胸上．）

你要安靜些睡！

要靜得看破萬物都是流動的原形質，

看破你是無色無形只有哀惋的歌聲。

那時候使你發微笑的，

是你心上的薔薇——

便是你的靈魂回來了．

你搖起這花輪來，

就可以看見你的靈魂在彼岸．

睡好吧！

琳 麗　　　　　　　　　　153

花束花輪都放在你的胸上了.（拍拍她）

　　（遠方的音樂微微的傳來.）

你千萬不要爲別人驚動！

那怕是海嘯天翻地裂,

那怕是暴風閃電激雷鳴.

　　　　琳　麗

你聽着音樂嗎?

還是我心上的幻想曲?

　　　　紫薔薇

是附近的劇場在奏樂.

　　　　琳　麗

這到底是一個甚麼地方?（拉起）

會有劇場！（微笑）

我可以睡麼?

　　　　紫薔薇

放心！這是演劇旅行團的天幕.

他們正在開演中,此刻是空着的.

你好好睡下！（又叉她睡下）

我去了,　（爲她調好衣裙）

緩下再來叫你.

你啣着這顆眞珠!(投珠於她的口中)

這是巴比侖宮裏千年老貝裏面取出的,

含着牠萬象都在沈默中靜觀得到.

切莫吐出!

吐出一切都會失敗.

（紫薔薇與紫光消去,漆黑.）

（遠方的音樂大振.間一會,幕壁上顯出一顆
大星,星光射在牀上.琳麗驚自胸上抽出相
片,儘看儘微笑,天眞浪漫地接吻.幕中忽充
滿嫩綠的美光,琳麗擎起花輪慢慢地搖,少女
少男的合唱聲起.星光消後,幕壁捲開,壁後
七色機輪迴旋開展,現出蔚藍色,一遍澄空和
曠野.夜色朦朧中青年歌人自遠來,默默地坐
在橫斜在地上的桂花樹枝上.少女合唱聲止.
桂幹中發出幼女的呼聲:"琴瀾!琴瀾!"琴瀾
驚看後背.琳麗但痴痴地望着他,幕壁忽然
合着,琳麗同樣的睡起.星光仍是射在牀上,
人聲起,星光消逝.）

　　　　（女優母女出．母約四十來歲，風格崇高的美
　　　　人，女約二十歲，極嬌美玲瓏．）

　　　　　母親

最後一幕，你要出力演哩！

　　　　　美女

（優雅的嬌笑聲．）

我能演得好也未可知．

七月間我在北京演Sappho，

我不是很成功的嗎？

若是我再把這回的Cleopatola演成功，

我要成一個名聞世界的女優了．

　　　　　母親

若是你成了一個世界的女優，

那我爲你苦了十幾年也甘心，

你暫且睡一會兒養養神吧！

　　　　（領女往牀前．

呀！誰睡在這裏了？

　　　　（拿出手電燈照看牀上．）

　　　　　美女

莫名其妙!
人呢?神呢?還是夢呢?

母親

看她的神韻相貌,
不是舞臺監督的愛人麽?
她慣愛偸閑睡覺的。

美女

媽媽癲了!
舞臺監督的愛人是甚麽人!
這是怎樣優美的一個女子。
啊!媽媽!這不是雪情嗎?
去年在上海,不是看過她演"沈鐘"的麽?

母親

月倩!不錯!　(細看琳麗)
只是比去年瘦一點兒。

美女

聽說她在莫斯科藝術座。
我們這兩天演她譯的"Antony"
同"Cleopatola"

再兩天又要演她的創作"睡仙"，

恐怕她是特為來看的。

　　　　母親

莫斯科到這裏沒有多遠的路，

她一定是來看的。

　　　　美女

恐怕她是疲乏了！

讓她靜靜地睡吧。(摸她胸上的花)

我們去告訴監督去。(輕輕的轉身走)

　　　　母親

可是你沒有睡得。

　　　　美女

發現了這樁事，我還能睡嗎？(一同退去)

　　　　琳麗

　　(輕搖花輪，少女歌聲微起。後幕內的少女歌

　　聲相應和，幕壁同前樣的漸漸展開。)

　　　　琴瀾

　　(立在蔚藍色的澄空下，拼命地搖花輪。美麗

　　的光線射在他的身上，忽然放下花輪，合唱聲

　　　　　　　　　　　　　　　第三幕

止.自桂樹下取了提琴,演奏悲曲.)

　　　琳麗

(笑微微的坐起,愁默默地聽了一會.跳下牀來,合着Violin 聲狂舞.顯出歡愉的微笑.舞酣,喜極高躍,將花束投給琴瀾.)

　　　琴瀾

(接花束,抱着,笑嘻嘻地吻花瓣,旋放下花,痛看琳麗兩眼,仍是狂奏提琴.)

　　　琳麗

(又飄飄逸逸的狂舞.　琴瀾急將花束投她胸上.琳麗抱花流淚.嬌脆欲絕的樣子,痛傷一會,邊吻花邊慢慢地繞臺走至桂樹傍的琴瀾前.輕點頭,臉上浮出微笑.伸手想握琴瀾,又咬了朱唇將手收住,婷婷佇立相望一會,幻眼柔聲地.)

你從那裏來的?

　　　琴瀾

(深默.)

　　　琳麗

琳　麗　　　　　　　　　　　159

我這晌忽然不知道你那裏去了。

因爲我流落了七天，

雨打風吹，

絹衣都吹得一塊一塊的破了。

又冷又餓又頭暈，

不知怎麼的就跌在池子裏。

等得從水裏爬上來，

你已經不在我心裏了。（愁慘的）

哦，你回來了！

　　　（伸出雙手想抱他，花束落地，忽然呆呆的要
　　　倒下的樣子。）

　　　　琴瀾

　　　（卽扶抱她的肩。二人含愁不語地相望。）

　　　　琳麗

　　　（嬌絕的音調。）

你看如何是好呢？（拾起花束）

　　　　琴瀾

　　　（低頭沈默半晌，沒有表情。）

　　　　琳麗

再會！（揮淚而退）

（琴瀾冷望她走，舞臺上的光線悽暗暗的．幕
壁輪轉關起，天幕內漆黑，只聽得陸陸續續的
足音，充滿舞臺似的。人影不辨，但聞不斷的
喧嘩聲。）

男聲

怎麼是這般黑漆漆的？

男聲

喂，誰把電燈開起！

粗男聲

究竟是甚麼人？

強盜麼？

男聲

美人麼？

女聲

啊！怪冷。

男聲

怕是鬼怪！

女聲

琳 麗　　　　　　　　　　　　　

月華姐！你看見是個怎樣的人？

　　　　　女聲

叫花子似的．

　　　　　男聲

哎呀！電燈怎麼不來？

　　　　　男聲

停電．

　　　　　男聲

洋臘燭呢？

　　　　　男聲

沒有．

　　　　　男聲

倒霉！

　　　　　男聲

碰鬼！

　　　　　粗男聲

爲甚麼不拉她去下來？

　　　　　男聲

黑漆的看不見．

162　　　　　　　　　　　　　　　　　第三幕

粗男聲

等我來！摸總摸得着的．

衆人喧鬧聲

冷得很，

冷氣阻住了我們走不進．

啊，怕是妖怪！妖怪！

　　（衆人亂動聲起．）

粗男聲

咄！怕甚麼？莫退步！

男聲

站不住．

　　（脚步雜踏聲．）

男聲

啊！蕭靜些！蕭靜些！

粗男聲

畜生！鬼總不會吃人的．

母親聲

哎呀，你們怎麼這般吵起來！

女聲

琳　麗　　　　　　　　　　　163

光景古怪.

母聲

我方才看見是一個仙女似的女子.

男聲

狐狸精吧!

　　（衆人哄然大笑.）

母聲

肅靜!

　　（遠來談話聲.）

舞臺監督來了.

　　（美女口唱歌聲，偕監督與琴瀾嘻嘻笑笑地
　　走出，電燈明，照見臺上的男女優半數是粉白
　　黛綠扮的埃及女王 Cleopatola 亡國時的宮廷
　　裝束.衆人漸分兩邊站立,奇奇怪怪的望着琳
　　麗.琳麗仍是同先一個樣子睡覺.）

或人

啊,怪美啦!

美女

　　（領監督到琳前.）

先前正是這樣子，你看是誰？

　　　　　監督

等我認真來看看。

　　　　　美女

我看是雪情。

　　　　　監督

有點兒像。

　　　　　美男

是雪情？讓我來看看。

　　（好奇的神氣，快步向前。）

上禮拜我們演她的創作"虹影"，

她還有信來，

她一定要來看我們演她的"睡仙"，

並且要看我扮演詩人。

　　（活潑的跳至牀前，手搭美女肩上。）

呀，不是！不是！

　　　　　監督

你當然認得清白。

　　　　　美男

琳　麗　　　　　　　　　　　　165

不待說，

她演"沈鐘"和"Sappho"，

都是我和她做對子。

　　　　監督

這到底是誰呢？

諸位都來看看，看有誰認識她的？

　　　　美男

月倩！叫她和你做朋友好不好？

　　（貪心望着琳麗．）

　　（衆人圍攏來看．）

　　　　　琴瀾

　　（很嘹喨沈痛的調子．）

諸位！這是我的劇了！

　　（俯叩琳麗．）

琳麗！琳麗！

　　　　美男

是甚麽怪？總不動呢．

　　　　　監督

　　（試摸她．）

死了!

　　　　琴瀾

　　（跪在牀前，悽聲悽息地悲哭。隨手撫她胸上

　　　的薔薇。）

琳麗！你怎麼了?

你怎麼到這裏來了?

不是來找我的嗎?

你是不怕怎樣的遠路，

會冒險來找我的。

　　（無意自她胸上探出相片。手很顫動，卽把相

　　　片抱在胸上。）

哦，琳麗！

你死了嗎?

你與我永別了嗎?

哦，琳麗！你往日常說:

"我們是絕對沒有未來的。"

驗了呀!　（俯伏牀緣痛哭）

早曉得是這樣……

我不應該儘把你放在未來的天國裏……

我不應該拒絕你現實的情熱．

呀！………（突抱她胸上的花束狂泣）

　　　　璃麗

　　（華服臉罩綴有真珠的面紗出，驚望臺面，直
　　趨林前，怪驚嘆，雙手撫琳麗，默默無語．）

　　　　美女

　　（優雅溫和地撫慰琴瀾．）

　　　　琴瀾

　　（蒼白的臉色，搔首哀哀泣訴．）

啊，這相片！（出示相片）

這是我二十歲那年照的相，

我和她初交的時候送給她的。

我和她分別有五年了，

聽說她每天每晚，

無論是做工讀書創作睡覺，

總是抱着我這張相片。

若是相片能够威靈，

定曾被她抱成精了。

虧她空空地抱了五年，

168

她竟悲劇的死了.

　　（痛哭亂搖琳麗.）

琳麗！　琳麗！

我愛不死的琳麗！

如你眞丟我去了……（狂哭後倒）

　　（俳優們忙扶着他，璃麗又急又憐的扶着他。）

　　　　或人

怎麽了？

　　　　美女

沒有發暈吧？

　　（衆人擠成一堆驚看琴瀾.）

　　　　美男

快灌他一點酒吃.（飛步自左方出）

　　　　璃麗

琴瀾！琴瀾！

　　（抱他的頭嘆息.）

　　　　監督

快把他背到房裏去。

誰去叫醫生來！

或人

花上出花了啦！

美男

喂！酒來了.（拿着酒瓶酒盃飛跑進來.）

月倩！你端盃.

（美男美女熱心地灌他的酒.）

琴瀾

嗳！……謝謝！

監督

啊！你好了嗎？（親切地撫他）

（衆人歡喜的退開.）

或女

（守着枕邊,四處探試琳麗.）

還活着呢.

琴瀾

呀,還活着嗎！（狂喜急要抱琳麗,琍麗阻止他.琴
瀾仆在枕傍.）

啊,琳麗！

你轉來了嗎？你還熱呢.

170　　　　　　　　　　　　　　　　　　第三幕

你的心是那麼猛烈地跳動，

你臉上有玫瑰的鮮紅，

你不是喝醉了酒嗎？

你又是發了病嗎？

醒來！醒來！你醒來看看我吧！

　　（儘搖她．）

琳麗！你不是恨了我嗎？

是，你一定恨了我．

三年過了我不去找你……

你是如何的恨我啊！

呀！琳麗！琳麗！琳麗！

　　（抱她將要吻．）

　　　　監督

　　（自後抱着琴瀾．）

你這不行的！

你莫要這樣悲傷！

我們來想法子．

誰去叫醫生來！

　　　　美男

琳 麗　　　　　　　　　　171

不如快送她到病院裏去．

　　　　粗男

好！我來擡，

　　　　或男

我來幫你．（二人試擡牀）

　　　　監督

就連牀快擡去！

　　（舞臺呈紫光，紫薔薇不戴冠不披紗，溫靜地
　　走出，向衆人微微點頭．）

　　　　紫薔薇

諸位！眞是萬分對不起！

借用了諸位這張牀，

給一個漂泊的女子睡了．

得罪！得罪！（親熱地執琳麗的手）

起來！

　　　　琳麗

（輕輕地撐起，含着多情的媚態．）

　　　　衆人

（闃然嬉笑，種種的怪表情．）

或人

這麼仙女似的一位女子，

怎麼會宿處都沒有一個，

你會領她到這又髒又破的地方來睡呢？

紫薔薇

諸位不覺得那些高樓大厦，

大概是被骯髒的人占住了嗎？

到是越仙人似的人，

連遮蔽風雨的一席地都沒有了。

（笑向琳麗。）

站起來，　去了！

琳麗

（立起，神秘的沈默。）

琴瀾

（伸手去握她。）

紫薔薇

（止住他。）

這是時候嗎？

琳麗

琳　麗　　　　　　　　　　　　173

（朦朧的樣子，嬌愁愁的望着琴瀾，啟口將要
說話。）

紫薔薇

（急忙掩住她的口，溫柔地。）

還太早哩。

（拿起花束花輪向琴瀾。）

你快去外面替她預備車子！

琴　瀾

（點頭嬉嬉地退去。）

璃　麗

姐姐！別人傳你在莫斯科的消息，

十人九樣，總沒有一句叫我放得心下的。

今天見你這麼好，

才叫我安心了。

你肯不肯就在彗星座做個演員？

紫薔薇

她哭斷了聲帶的喉頭，

如今是用寶石接起的，

還不能發聲。

琳麗

（默默地握她．）

紫薔薇

（柔和地攙琳麗，向衆人行禮．）

再會！

衆人

再會！再會！

琳麗

（優雅地向衆人行禮．眼睛不瞬地望着璃麗．）

（幕壁展開，現出穿白雲衣，頭戴星冠的影子，
像貌酷似琴瀾，彷彷彿彿地伴着琳麗的右肩
並走．紫薔薇琳麗影子一同退去．衆人一大部
分隨出．紫光消，幕壁合着，殘留臺上的人，懶
洋洋的樣子，坐的靠的倒着的．）

紅衣女

那是甚麼道理？

怎麼我們儘叫都叫她不醒，

偏是給她的同伴

一聲就把她叫醒了．

披髮男

那種光景，

我們好像是理解不來的。（倒臥行李堆上）

紅衣女

那音樂家那麼愛她，

又怎麼不同她一塊兒去呢？

或女

有了那個薔薇的妖魔，

還能給人間成全甚麼好事。

或男

不論是妖魔是舞女，

都怪好看的咧！（撩起腳亂搖）

破臉男

她們兩個如果不是妖怪，

我願在紫羅蘭的軟枕上，

把她們兩個都愛起來。

披髮男

（奮臂坐起。）

那你的死，

是要掛起你的腦袋在街上示衆的，

不要臉的東西！

　　　　破臉男

我只要同美人接得吻到，

那怕刑法把我用油煎火熬，

我怕吧！？

　　（突飛紅衣女前．）

你看我抱起你的未婚夫人看看！

　　（猛抱紅衣女接吻，女大變顏色．）

　　　　披髮男

　　（揚起花花彩彩的衣裳急奪回女子，睜起大黑

　　圈的眼睛視破臉男．）

畜生！

　　　　破臉男

誰是畜生！

你侮辱了我的女神！

　　（一脚踢倒披髮男，抱女在他的懷中．）

你怕我不曉得你的奸計．

你恃你是銀行行長的兒子，

琳　麗　　　　　　　　　　　　177

張起你毒蛇般的齒牙，

咬破我的心肝，

還要叫無情的刑法來處治我——

這是必報之仇！

　　　（放女,突然揪住披髮男的頭髮,擲下地儘打。）

　　　（舞臺監督率衆人自右回來。）

　　　　　監督

啊呀,啊呀！

這是做甚麼？

　　　（衆人集攏來看。）

　　　　　破臉男

暫且放你………（急自左奔出）

　　　　　披髮男

　　　（爬起忍痛拭眼睛。）

是打起好頑的。

　　　（琴瀾痛極的樣子,美男璃麗扶他上,瘋瘋癲

　　　癲地倒在琳上,衆人的眼睛集注於他。）

　　　　　琴瀾

　　　（撐起狂叫。）

啊，幻影！幻影！

　　　　監督

怎麼是這般騷亂？

　　　　琴瀾

我為甚麼好好地會看見一顆星兒

和紫色的雲霧隨着琳麗走哩！

　　　　監督

不都看見的麼？

　　　　眾人

看見了，看見了喇！

　　　　琴瀾

你們沒有看得見的道理。

啊，琳麗！

你為着愛我，

你不怕艱難，孤魂獨魄地漂流出去，

你的行為是如何的艱難啊！

因你的艱難的行為，

就成就了你的美……（眼睛灼灼地望天）

啊，戀！人生！

美呀！但是苦痛呀！

不能說我連不知道你的苦痛，

卻有誰知道我的苦痛呢？（痛絕相）

誰替我拿Violin來？

或人

嘿！Violin.

琴瀾

（接Violin.狂奏，停止.）

眞是我心上的薔薇只有你，

那怕是夜鶯嬌巧的歌聲，

不能奪去我這片心；

那怕是月兒清豔的情調，

也不能誘惑我的魂.

（悲嘆，低頭踱來踱去.）

但是人生是很長的旅行，

琳麗！我久已是你的罪人了。

你饒恕我嗎？

你還願我去看你吧？

（眼淚淋淋，興奮地拋了提琴，頹坐牀上，急促的聲調.)

璃麗!

璃麗

(柔和地往他面前,取下臉紗.)

做甚麼?喃,做甚麼?

(琴瀾望她一眼,雙手抱頭納悶.)

(衆人驚心地熱望璃麗,璃麗莫名其妙的樣子望着他.)

監督

(走近璃麗,恭敬地行禮.)

你就是璃麗女士麼?

璃麗

(微點頭,柔和地.)

是的.

監督

久仰!我跑到尊寓去訪了你兩次,

都沒有碰着,

所以沒有介紹,失禮了!

璃麗

琳　麗　　　　　　　　　　　　　181

我眞失禮得很！

　　　　監督

　　（登上演說臺向衆人介紹璃麗。）

諸位！這就是璃麗女士。（互相行禮）

她的事諸位或許有知道的。

她是從小就留學法蘭西，

後來留學日本，

再後又留學意大利，

是專門研究音樂跳舞和歌劇女優的。

近年在南洋演歌劇。

這次偕提琴家琴瀾

來俄國研究音樂和跳舞的。

聽了我們在這裏演劇旅行，

所以昨天才加入我們座裏。

今晚本有她的獨唱，

因爲有點傷風，沒有出席。

不料在這裏竟得會着，

我們眞是歡喜！

　　　　男子的歌聲

鶯歌啼開了新生的曙光，

歡悅湧上我的心房！

是何處的微風送來的芳香？

哦！帶露的薔薇，

開在我胸膛上！

　（眾人驚望後面。）

　　　監督

咄！是誰瘋了，在這裏唱歌？

莫瞎吵！

　　（推他自己身傍的青年。）

你替我趕他出去！

　　　歌聲

　（邊唱邊走）

你嫣然肥嫩的玉容，

映着琉璃色的衣裳，

你醉魂消魄的魔力喲！

雄雄心的帝王，

將爲你捨掉冠裳。

女神喲！

琳　麗　　　　　　　　　　　　183

　　莫留戀你幽靈的墓影，

　　來聽我情熱的心歌！

　　待我採來三色菫花，

　　答贈你迷惑的秋波。

　　　　青年

　　（從人羣中擠進來。）

到頭趕出去了。

　　　　琴瀾

　　（瘋子一樣，抱了提琴慌忙地跑。）

　　　　璃麗

你那裏去？

　　　　琴瀾

找琳麗去。

　　　　美男

你怎麼找得她到呢！

她們的車子走得那麼快，

我一口氣都還沒有吐完，

她們就到了對岸處女似的

嫩綠的楊柳道上了。

184

第三幕

那怕你是個飛鳥，

也會追她不着哩。

　　琴瀾

但是我此刻非她的熱情，不能破除我的苦惱；

非她柔韻的心懷，不能蘇生我的靈魂。

　　（抑鬱地握美男手。）

　　　璃麗

　　（不快的笑容。）

琴瀾！我呢？

　　　琴瀾

　　（冷嚴的樣子。）

你是你，

你的事要問我麼？

　　　璃麗

　　（奮激地跳到他的面前）

如你不是瘋了……

　　（咬牙切齒地用力揪住他。）

　　　琴瀾

　　（狠狠的樣子。）

放我!

你莫儘向我擺你執着的腕力!

　　　　璃麗

　　（豪爽地.）

你莫總把芳香豔麗的幸福,

看作幽靈的影子!

人生除了堅確地執着以外,

還有甚麼眞理?

　　　　琴瀾

　　（怒眼灼灼地.）

全是你執着的魔力,

領我認識了破滅的深淵!

　　　　璃麗

　　（悲痛又慌張的樣子.）

你丟我去了麼?

你去我跟你去.（挽他,埋頭在他的懷中）

　　　　琴瀾

罷了!罷了!　（撒開她）

你這樣我恨不得就披起袈裟做和尚去!

璃麗

看你跑到琳麗菫色的心房裏去做和尙．

琴瀾

你知道我的心?!

我現在怕了女子,

我從此是一個和尙．

璃麗

唪！　哄鬼！　（騷痛要哭的樣子）

琴瀾

藝術家只能孤獨的．

一有了對象，就會一天一天地平凡．

　　（柔和地撫她．）

你好好地去發揮你的藝術!

璃麗

　　（昂奮地，大聲．）

我最恨了離開人生來說藝術!

我是一天沒有愛人伴着就不得天黑的,

一夜沒有愛人伴着,也不得天亮的,

我是不能離開你一天的．

琳　麗　　　　　　　　　　　187

　　　琴瀾

　　（很苦悶的表情，立她面前，伸手要握她．）

那是沒有法子的事情，再會！

　　（勉強握她一握，亡命似的跑去．）

　　　璃麗

　　（撐手招他．）

請等一等！

我還說一句．（琴瀾回頭）

請你替你的兒子找到父親才走！

　　　琴瀾

　　（急把頭垂下，鬱鬱的呆立着．）

　　　璃麗

男子是天賜他的逍遙，

把兒子丟在女子的肚裏就跑了．

叫女子做私生兒的不要臉皮的母親，

責任痛苦都叫女子擔任．

我璃麗沒有你那麼聰明怜悧，

就是討飯，

也要養活我的藝術的產物．

只怕………

　　（跳起足，痛快淋漓地說着．忽然發暈倒後．）

　　　　琴瀾

　　（急把提琴丟下，隨抱着她．）

璃麗！璃麗！請你饒恕我！

我不去了喲，璃麗！　（親吻她）

　　（璃麗的腰身橫在他的臂上，軟軟的像死去的
　　樣子．衆人驚極，集成一堆．）

呀，璃麗！

　　（眼淚淋淋地緊抱她．）

　　　　衆人

怎麼了？怎麼了？……

　　（滿場騷動．）

　　（舞臺漆黑，轟轟的雷聲，暴風激雨聲交作．電
　　光不斷地閃過．雷聲霹靂打下，天幕倒潰，前
　　景成廢墟．前後兩景通成廣漠的曠野．濛濛的
　　微光中強烈的電光閃過時，照見曠野成春色，
　　綠野花兒遍地開．）

　　　　琳麗

　　(穿着嫩綠色的絹衣，冒風飄飄地走出．邊走邊歌舞．悽惋的聲調，衣裳罢爲雨打濕．舞到桂花前搖花輪，花輪不起歌聲，探頭四望，悲絕．被風吹倒桂樹下，自己又慢慢地爬起．頭髮散在肩上，儘搖花輪，花輪總不起歌聲．與奮地抛了花輪，悽惻惻的立着．)

　　(舞臺呈慘白的月光，雨止．紫薔薇抱花串出．)

　　　　紫薔薇

眞叫找煞了你！

四處找不到，才想起你一定是來了這裏．

這樣的暴風雨，

你怎麼能受得這種侵凌？

　　　　琳麗

　　(哀惋地．)

除了愛人的心懷中，

何處不是淒風暴雨呢？

　　　　紫薔薇

　　(和靄地握她，並替她理散亂的髮．)

連你愛人的心懷中

190   第三幕

也是一片淒風暴雨．

通你的全生涯，

是淒風暴雨中的受難者．

　　　琳麗

　　　（嬌柔的調子，指着右方的遠處．）

那像白雲一堆堆的不是花麼？

　　　紫薔薇

是杏花和棃花．

　　　琳麗

哦！　杏花和棃花！

今晚的暴風雨，

會奪去牠們鮮美熱烈的生命！

　　　紫薔薇

前幾天你妹妹的生命，

差不多要送在那棃花樹背的一所房子裏了。

　　　琳麗

　　　（驚極，攀住她的雙肩．）

爲甚麼？　爲甚麼？

　　　紫薔薇

她在那裏生小孩子很苦的．

　　　琳麗

　　（睜起眼睛，不安的表情．）

哦！平安地生出來了吧？

　　　紫薔薇

琴瀾守着她生的，

從危險中得着了平安．

你相不相信他安心在那裏做父親？

　　（攜她同坐橫着的桂樹上．）

　　　琳麗

相信他只有三個月，

他還要做許多女子的愛人的．

　　（愁悄悄地低頭．）

　　　紫薔薇

其實他很愛你的．

惟其是很愛你，所以……

　　　琳麗

我也深信，

但是………

紫薔薇

本來你藕色的相思幕裏，

就會有諧和的琴聲奏出來的。

他已經動身找你來了，

可是………

　　（強烈的黃色光充滿舞臺。）

　　　　琳麗

　　（狂人似的跳起來。）

我比死還苦百倍地活在這世界上：

全是爲着等他來看一看。

他幾時可以到？

　　　　紫薔薇

明天或是後天早上，

可是你不能見到他了。

　　　　琳麗

爲誰？

　　　　紫薔薇

薔薇宮裏的戀愛名册上，

已經把你的名字寫在驕愛篇的第一號了。

琳　麗　　　　　　　　　　　193

你要快去預備！（攜她.）

　　　　琳麗

嘿！　我死了又當眞不要墓的，

要甚麼預備呢？

　　　　紫薔薇

她們設備了你的墓場.

那兒是--所美麗的幽谷，中間有濟泉池，

池傍嬌楊媚舞.

漫道全是七色的薔薇，

四季有黃鶯杜鵑啼叫，

沒有一天不是鳥語花香的.

　　　　琳麗

難怪我熱得這般厲害！

你試試我看！

　　　　紫薔薇

　　（柔和地探她兩額，太息.）

你愛之熱淚沒有流了，

你愛的哀歌唱不得了.

眞比眞珠沈在海底還可惜哩！

琳麗

（可愛的眼睛柔和地看着紫薔薇．）

畢竟我不能等着看琴瀾了嗎？

紫薔薇

呃！（冷歎）

琳麗

我辛辛苦苦地等他許多年，眞無意義得很！

唉！人生是可愛的虛僞咧！！

（寂寞的微笑，抱着紫薔薇親吻．紫薔薇將花
串圍她肩上．）

（黃色的光輝忽濃豔起來．）

紫薔薇

（緊抱她吻了，放開她．）

那不吉的黃光變化兩度了，

快去吧！（攜她去）

（舞臺仍復烏黑，電光風雨緊急得很．狂風將
天幕捲去，幕中皮琳獨安然．一會後雨暫停
止．）

琴瀾

琳　麗　　　　　　　　　　　195

（朦朧的夜光中，琴瀾一手拿提琴，一手拿花
輪及鮮花一大束，嬉嬉地自曠野來，走至桂樹
傍，放下手中物儘搖花輪．花輪不起少女的歌
聲．驚異，傍徨回顧．悽悽地奏提琴，一曲復
一曲，停奏．）

呀！悲歌奏慌了我的心血！

琳麗！你怎麼不來呢？

我要將我的哀歌，

一曲一曲地奏給你聽．

啊！琳麗！

畫眉還唱不出你的心曲，

求你跑到我的心上來，

蘇生我的痴夢吧！

啊，琳麗！我靈魂的天使！

看我摘了處女宮中的鮮花贈你！

　　　紫薔薇

（漆黑中，紫薔薇帶着銀光，愁眉，索然地走
出．）

　　　琴瀾

（喜極,跳向紫薔薇.）

啊!她呢?

　　　　紫薔薇

（低頭深默.）

　　　　琴瀾

琳麗在那裏?

　　　　紫薔薇

在黃鶯的歌腸裏,小魚的肚腹中.

　　　　琴瀾

（驚極,眼睛突放悲光.）

嘿!……死了嗎?

　　　　紫薔薇

呵.　（點頭）

　　　　琴瀾

（魂飛魄散地扯了薄薄的曼陀蒙頭,痛哭靠在
桂樹上.霏霏的細雨又下.紫薔薇冷悽悽地望
着他.）

幾時死的?

　　　　紫薔薇

琳　麗　

三天前的月夜．

　　　　琴瀾

　　（悲痛得很，全身顫慄，很低的音調．）

我特爲來找她的……（咽住）

　　　　紫薔薇

　我都明白．

　　（遞他一張相片．）

喂！這是你的相片

她沒有比這還寶貝的東西．

她在這五年中，沒有一天離過身的，

沒有一天不吻幾回，

也沒有一晚不抱在胸上睡的．

她叫你吻吻你這相片，

如同吻了她一樣．

　　（出示血色的薔薇．）

這薔薇她也差不多和你的相片一樣寶愛的

　　（交相片與薔薇給他．）

　　　　琴瀾

　　（呆痴痴的接了．）

沒有別的遺言麼？

紫薔薇

她的愛你，

是到了沒有話能够表得她的情愫出來的。

她是穿着一身潔白的絹衣，

週身佩着薔薇花，

死在泉水的池子裏面，

那池子是在羣峯環繞的山谷中。

（雨漸漸地大起來。）

當她跳下浮在水面成奇觀的時候，

她還抱着你的相片嘆道：

"早知道不能再吻你的嬌脣，

該叫我的靈魂早入地獄。"

琴瀾

（掩面狂哭，紫薔薇消逝，舞臺暫黑，琴瀾倒在

地下。）

猩猩　（三個）

（三個猩猩激烈地打架打進來。第一個無心跌

在琴瀾身上，琴瀾驚起抵抗。駭極，大聲狂喊。

其他二個猩猩趕來.三個猩猩緊緊地圍着他.

琴瀾痴呆,忽然如夢方醒拼命地逃竄.猩猩張

牙舞爪地跳到他的面前,幾下就撲殺琴瀾.猩

猩高跳快樂,旋卽蹲地爭分屍首.電光急下,

暴風吹倒猩猩,個個倒地旋轉.隔一會一個猩

猩爬起,拖琴瀾的屍身走去,風雨雷電越加緊

急,避難者疾走狂奔.忽而一個死在地上,天

昏地動的樣子,死者越多.)

(舞臺暫黑.風雨雷電息.)

(舞臺呈稀薄的朝光,林外曉鐘聲響,紅日昇

上,死屍處處橫着,桂樹早已被風拔去.)

　　　　演劇團員

(一個一個愁悄悄地走出,在屍堆中檢查.七

八個人巡檢幾遍,檢查一個就在手册上記一

筆.檢查完,集攏一處商談.)

　　　　甲員

(垂頭喪氣的樣子指乙員.)

你調查一共有幾個?

　　　　乙員

十三個．

丙員

我十九個．

庚員

我九個，不，十一個．

丁員

我二十四個．

己員

我六個．

戊員

我三十三個．

甲員

我檢查二十八個．（邊寫邊說）

全體是一百七十個人．

今早調查活着的總數只有三十一個，

死亡的總數一百三十四個，

還有五個不明．

美男

女的只剩七個！

琳　麗　　　　　　　　　　　　　　　**201**

（垂頭，傷絕的表情．）

庚員

你愛人的屍體發現了麼？

美男

發現壓在一株杏樹下，

（四女三男出．）

綠衣女

璃麗還在！璃麗還在！

（調查員一同歡呼．）

啊，她還在嗎?！

天替我們留出了一顆明星！

黃衣女

她和她的小孩子，

躲在神廟前的石山裏得救的．

甲員

但是琴瀾的事，

不要給她知道才好．

諸位！

遍生靈塗地，

202 　　　　　　　　　　　　第三卷

滿目瘡痍的光景，

誰不驚心動魄？

這些東倒西橫的親愛的兄弟姊妹們，

都是昨晚的暴風，

把他們藝術的生命捲去了。

自然！自然力的偉大！

我們要切齒地詛呪牠呢？

還是高歌來頌揚牠呢？

各位！且在我們平日不信仰的上帝面前，

唱首讚美歌吧！

　　　（一同唱歌。）

　　　（璃麗自左方哀哀地和唱而出。）

　　　（衆人一同停唱，走向璃麗。）

啊，璃麗！璃麗！……（圍着她）

　　　　甲員

璃麗！祝你萬歲！（握她）

　　　　璃麗

祝各位萬歲！（騷痛相）

萃瀾呢？萃瀾呢？

丙員

琗瀾的屍首就在外邊．

　　（指示右邊的曠野．）

　　　璃麗

　　（滿眼的悲淚，哀絕．）

請快領我去看！

　　美男

不要去看好麼？

　　　璃麗

我定要去看，誰領我去？

　　（甲，丙，美男，白衣女同她去．）

　　乙員

實在不要領她去看的好．

手也失了一隻，

身上的肉有一塊沒一塊的．

　　庚員

怎麼他一個人，特別的死得慘呢？

　　或人

他不是為找他原來的愛人

204　　　　　　　　　　　　　　　第三幕

出去一晌了嗎！

怎麼還在這裏呢？

　　　　庚員

或許是找不到，剛回來的。

　　　　　黃衣女

璃麗會急死去呢。

　　　　　綠衣女

有甚麼急得！

新陳代謝的不擺在那裏嗎？

她那位女性，

你想她會有什麼眼淚流吧。

　　　　　黃衣女

你不要是那麼說！

她到底很愛琴瀾。

　　　　　綠衣女

轉眼就會看得到的事。

　　　　　乙員

還是琴瀾死得可惜！（流淚）

　　　　　庚員

琴 麗　　　　　　　　　　　205

琴瀾和月倩一死，

簡直我們藝術界的天地，

倒塌了一半！

　　（個個都垂頭嘆氣。）

　　（隨去的人人扶璃麗自右方的深處出。）

　　　璃 麗

　　（抱頭悲傷，哭不出聲的樣子。）

呀！我……我不能生了！

　　　甲 員

不是沒有法子的事體嗎！

個個都是差不多的光景嘞。

　　　璃 麗

　　（很痛很慌的，拉散頭髮，擊腦。）

　　　白衣女

你不要想得這麼急吧！（拉住她的手）

你還有個 Baby 丟在那裏哩。

　　　璃 麗

　　（捧開她，不要命地奔跑。）

呀！我死。

美男

（急往前抱住她.）

你死我也死.

（二人哀切切地相望一會.）

璃麗

請站開！

美男

（退開一二步,熟視她.）

你退想一步看看！

除了再找愛的新芽,

還有甚麼法子？

做殉難者,也要殉得有個意思.

（璃麗愁眉無語,眾人驚望,嚴肅的表情.）

美男

我的心你未必還不知道麼？

還是信我不過嗎？（停）

我從最初那晚就很愛了你,

可以說我是絕對愛你的.……

璃麗

琳　麗　　　　　　　　　　　　207

你的月倩呢？

　　　　美男

昨晚她被壓在杏花樹下死了。

　　（似悲似喜的瘋相，輕輕地抱她。）

　　　　璃麗

　　（展開微微的悲笑，二人似要接吻。）

　　（舞臺漆黑，但聞叩戶的聲音，戶外大聲呼喚。）

　　　　聲音

喂！起來喇。

將近六點鐘了。（叩戶聲）

客人！客人！

起來預備喇！（叩戶聲急）

　　（一絲極微的光線，射在皮牀上。琳麗寢衣披
　　　髮，爬起坐在牀緣。房內暗黑不辨，叩戶聲愈
　　　急。）

　　　　聲音

你不說要搭七點半鐘的早車嗎？

請快點起來！

　　　　琳麗

（睡眼朦朧地將下牀．）

哦，起來了．

——幕——

東京市外大久保婦人矯風會草成

西湖葛嶺抱朴廬整理

白薇

Miss Linglee

The Commercial Press, Limited

All rights reserved

回(琳　麗　一　册)

（每册定價大洋伍角伍分）

（外埠酌加運費匯費）

編纂者	白　　　　薇
發行者	商　務　印　書　館

上　海　寶　山　路

印刷所	商　務　印　書　館

上　海　棋　盤　街　中　市

總發行所	商　務　印　書　館

北京　天津　保定　奉天　吉林　龍江
濟南　太原　開封　西安　南京　杭州
蘭溪　安慶　蕪湖　南昌　九江　漢口

分售處	商　務　印　書　分　館

長沙　常德　衡州　成都　重慶　廈門
福州　廣州　潮州　香港　梧州　昆明
貴陽　　張家口　　新嘉坡

三四丁

花木蘭文化出版社聲明啓事

　　此次《民國文學珍稀文獻集成》出版，有賴各位作者家屬大力支持，慨然允贈版權，遂使這巨大的文化工程得以開展。我社全體同仁在此向各位致以誠摯的謝意！

　　由於民國作者人數眾多，年代久遠且戰火頻繁，我社傾全力尋找，遍訪各地，能夠找到的後人，得其親筆授權者，爲數甚寡。更多的情況是，因作者本人下落不明，連版權情況都無從知曉。

　　因此，我社鄭重聲明：

　　此叢書所錄專著，凡有在版權期內而未授權者，作者家屬可與我社聯繫，我社願奉送相關贈書 50 冊爲報酬，補簽授權協議。

　　望家屬看到此通知後與我社聯繫。聯繫信箱：hml@vip.163.com

花木蘭文化出版社

2017 年秋